Japan

Prod No.:	**94348**
Date:	**20/04/17**
Title:	**Improbable Libraries**
Supplier:	**C&C Offset Printing Co. Ltd.**
t.p.s:	180 x 180mm (portrait)
extent:	240pp printed 4/4 throughout
paper:	157gsm Chen Ming matt art
Endpapers:	140 gsm woodfree endpapers to be printed 1/1 Pantone 3115u (turquoise); print pattern pp2/3 with p4 (front) and p1 (back) printing solid Pantone
Case:	Printed in 5-colours (4-colour process + Pantone 1575c [orange]), on 128gsm glossy one sided paper, and matt film laminated
Binding:	Folded and sewn in 12 page sections. First and second lined, square backed with spine inlay; Plc pasted over 3 mm boards, attach plain imitation silk head and tail bands A1060 (dark turquoise)
Jacket:	Printed in 5-colours (4-colour process + Pantone 1575c [orange]) on 157gsm glossy one sided paper; matt film laminated + spot UV one side only

Improbable Libraries

TELEPHONE
DANGER OF DEATH
KEEP OFF
NO SMOKING

世界の不思議な図書館

アレックス・ジョンソン［著］
北川 玲［訳］

創元社

Improbable Libraries by Alex Johnson
Published by arrangement with Thames & Hudson Ltd, London
through Tuttle-Mori Agency, Inc., Tokyo

This edition first published in Japan in 2016
by SOGENSHA, INC., publishers, Osaka

CONTENTS

イントロダクション　7

1　旅先の図書館……………15

2　動物図書館……………49

3　小さな図書館……………65

4　大きな図書館……………105

5　ホームライブラリー……………137

6　移動する図書館……………161

7　意外な場所の図書館……………205

参考文献　234

フォトクレジット　238

que mobi

イントロダクション

あなたが住んでいるところでは、ゾウが家の前まで図書館の本を運んできてくれる？　本がボートに乗って川を下ってくる？　それとも電話ボックス、鉄道の駅、公園、もしかして家の裏庭に図書館があったりするだろうか？

はるか昔から図書館の司書たちは地理的、経済的、政治的な問題を乗り越え、本に書かれた言葉を人々に届けようと努めてきた。21世紀を迎えた今、本の読み方や共有のしかたは大きく、急激に変化しているが、司書たちの努力は今も続いている。本書はこの新たな図書館革命を探ると同時に、従来の型を破って、言葉を世界のあらゆる場所へ伝えようとしている多くの建築家、デザイナー、教育者、アーティスト、活動家たちの仕事ぶりを紹介する。

変化は建築面にも表れている。図書館というと私たちは町の中心に建つ立派な、そして画一的な建造物をまず思い浮かべるだろう。だが、あなたの街の図書館はいまや期間限定で出現する図書館から、外観を本棚に見せかけた図書館、氷山の中をくりぬいたように見える創造力豊かな建築の傑作にいたるまで、まさになんでもありという様相を呈しているのだ。同時に、独創的な建築家や設計者は屋外座席を設けたり、フラットパック技術〔平板状に梱包し、開封して組み立てる〕を駆使したり、ハンモックを使ったりして個人宅やホテルにある図書空間を変貌させている。

また、モバイルアプリやデジタル技術の普及によっても変化が生じ、インターネットの世界に本が出現した。それでも、本書に掲載されている図書館の多くは、今もなお昔ながらの紙書籍を苦労して運ぶ人々に頼っている。ただ、図書館という概念そのものが進化しつつあるという感は否めない。こうした図書館の多くは、伝統的な公立図書館や大学図書館とは根本的に異なる方針に基づいて

ビブリオタプタプ

ハイチの移動図書館ビブリオタプタプの3度目のプロジェクトは、クラウドファンディングによって資金がまかなわれた。タプタプとはハイチのどこでも見られる乗合タクシーのこと。

運営されている。たとえば、会員証や身分証明書が必要ない図書館もある。返却を求めない図書館まである。

従来の型にはまらない新たな図書館は、少なくとも部分的には成功しているように思われる。人々の協力が今まで以上に中心に据えられているからだ。借りた本の返却に利用者の誠意や善意に頼る図書館は多い。うれしいことに、本書をまとめていた時点で、図書館を荒らされたという司書たちからの報告は皆無に近く、何百万冊とある本のうち盗難にあったものはごくわずかだった。

図書館の設計者たちはこうした図書館「所有者」の意識の変化を汲み取っている。新たに作られた図書館は、ただ本を集めただけという従来の図書館よりはるかに多くのものを提供している。コミュニティ・センターとして多くの機能を持ち、経済的、社会的、地理的障壁を越えて人々を支援しているのだ。また、通勤者、海辺で楽しむ人々、カフェの客、そして囚人にも文化に接する機会を提供する図書館もあれば、図書館そのものが一風変わった芸術作品であったり、現代デザインの傑作だったりする場合もある。いずれの図書館も、本をさらに入手しやすく、さらに楽しめるものにすることをめざしているのだ。

本書に登場する小さな図書館のほとんどは、不屈の精神と洞察力を備えた人がたったひとりで運営している。フィリピンのマニラでは、エルナンド・「ナニー」・グアンラオが10年以上も「リーディング・クラブ2000」を続けている。彼は両親を追悼するために図書館を開こうと考えた。最初は自宅の前の通りに100冊ほどを並べただけだったが、今では数千冊となっている。本書に登場する多くの図書館と同様に、グアンラオの図書館も会員証や身分証明書のたぐいはいっさい必要としていない。道行く人々は気が向いたときに好きなだけ本を持ち帰る。返却すら求められていないのだ。

いっぽう、サンフランシスコのクリスティーナ・カーンズは「アワシェルヴズ」という会員制図書館を立ち上げた。地元の作家と、好きな作品を分かち合いたいという読者を結びつけるもので、高価なため入手できない本や希少本も多い。

リーディング・クラブ2000

マニラのバラグタス・ストリートにあるリーディング・クラブ2000は、地元の活動家エルナンド・グアンラオがひとりで設立し運営している。彼のモットー：「本は何度も使うものだ。本には命がある。メッセージが込められている」

A good book
easy
is hard to find
FREE READING
TO THE PUBLIC.
YES FREE READING
ROW FREE TO RE
1454

OURSHELVES
LENDING LIBRARY

資金がないことを理由に本の貸し出しを断られることはないが、徴収された会員費は保護施設に入っている女性や子ども、高齢者、そして公立図書館をなかなか利用できない人々のための無料図書館作りに役立てられている。

特別な目的のために作られる図書館もある。たとえば、地元の公立図書館が改装のため一時閉館となり、その代わりとしてラトビアのデザイン科の学生たちが作った臨時の図書館「ストーリー・タワー」。ノルウェーやフィンランドの辺鄙な沿岸地域に季節限定で本を運ぶ図書館船。大地震に見舞われたハイチでは多くの図書館が崩壊し、何千人もの人々が家を失ったため、「国境なき図書館ビブリオタプタプ」という移動図書館が全国に読み物を提供して回った。また、「ウォール街を占拠せよ」と抗議運動を展開する人々は2011年9月、ロウアー・マンハッタンのズコッティ公園に「ピープルズ・ライブラリー」を設立した。運動の最盛時には5500冊を所蔵し、ミュージシャンのパティ・スミスが雨天に備えてテントを寄付していた。

紙書籍の未来について識者たちが書き散らしているとおり、伝統的な煉瓦としっくい造りの図書館は姿を消したものも多い。だが、紙書籍の最終的運命はともかくとして、物理的実体としての図書館の死が差し迫っているというのは誇張しすぎだと思われる。すでにデジタル公立図書館が登場しているのだ。最初に造られたのはテキサス州サン・アントニオで、本棚の代わりに電子書籍リーダー、コンピューター・ステーション、ノートパソコン、タブレットなどが置かれている。空港や鉄道駅では完全な電子図書館が実験的に導入され、人が座って本を読める心地よい物理的空間が用意されている所では大成功を収めている。フィラデルフィア空港やアムステルダムのスキポール空港などがそのよい例だ。

人は図書館に行くのが好きなのだ——ロアルド・ダールの作品の主人公マチルダのように。これは単純な事実だ。実際、2014年にイギリスの文化メディアスポーツ省が行った調査によると、図書館に行くのは昇給と同じほどの喜びが得られるという。この調査はさまざまな活動がどの程度の喜びをもたらすかを数値化して示そうと試みたもので、ダンスや水泳は必ずと言っていいほど我々

アワシェルヴズ

創設者クリスティーナ・カーンズは「アワシェルヴズ」について「これは芸術的な公開実験」だと言う。芸術は地域社会から切り離すべきではなく、誰でも手頃な値段で入手できるべきものだという考えに基づいた試みだ。

を元気づけてくれる。図書館に行くのも同じ効果をもたらし、その効果はなんと給料が1359ポンド上がったときに匹敵するのだそうだ！

図書館は今日でも我々の社会の中心という立場を失っていない。そして司書たちはこれからも障壁を乗り越え、本を人々にもたらしていくだろう。本書を書いたのは、こうした事実を称えたかったからだ。平等を重んじる国際的なリトル・フリー・ライブラリー運動（モットーは「1冊借りたら1冊返す」）から、豪華ホテルの図書室にいたるまで、世界にはさまざまな図書館が存在している。チリの地下鉄の駅にいても、ラオスの川船に乗っていても、モンゴルのユルト〔移動テント〕にいても、さらには自宅から一歩も外に出なくても、あなたにふさわしい本、読まれるときを待っている本を見つけられるのだ。これはなんと喜ばしいことだろう！

ピープルズ・ライブラリー

2011年9月、ニューヨーク市で始まった「ウォール街を占拠せよ」運動の一環として作られた。この図書館は警察の手入れによってつぶされたが、同様の図書館が欧米の他の場所でも出現した。

LIBRARY
UNITED STATES
POSTAL
LIBRARY

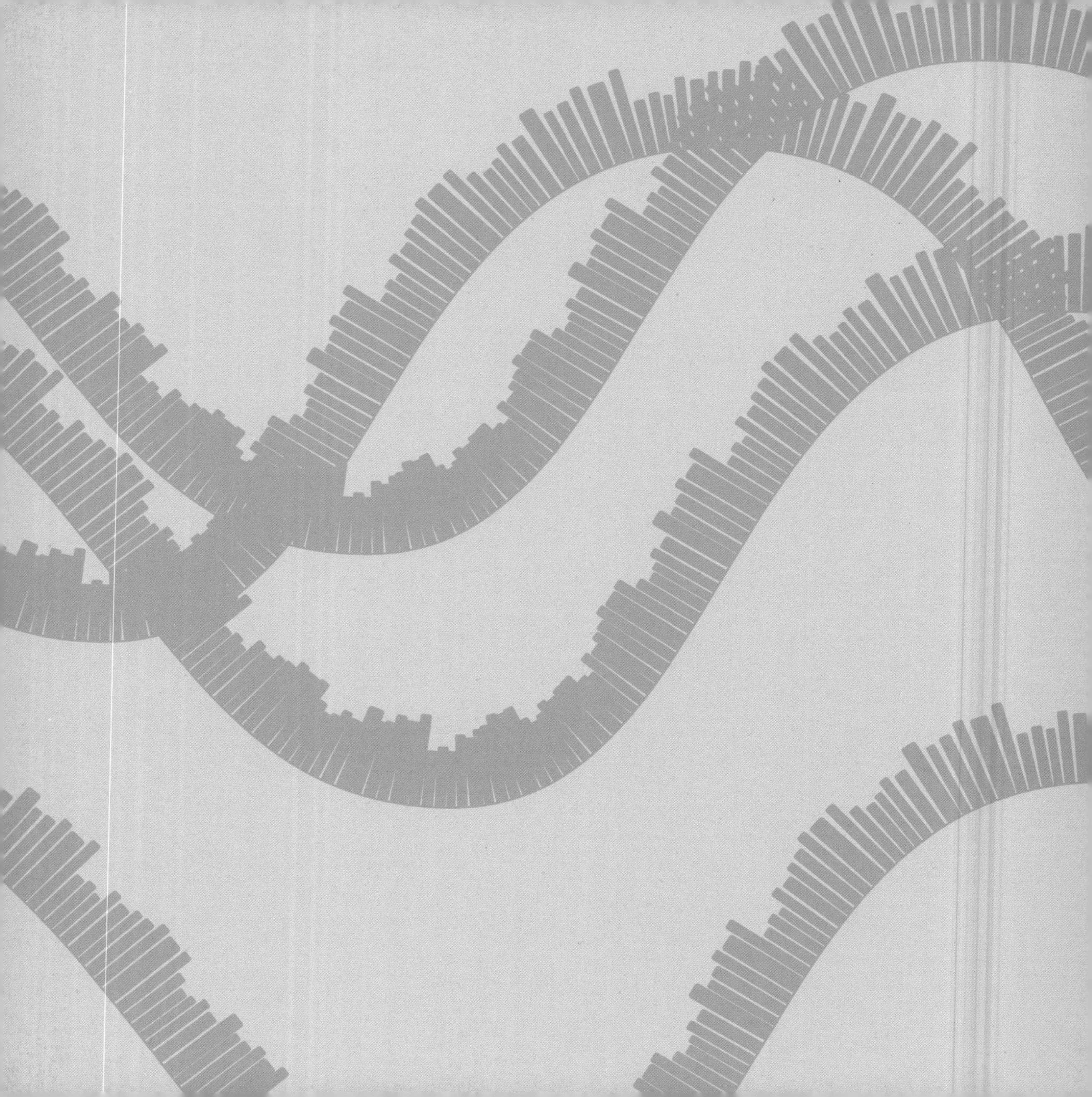

1
旅先の図書館

21世紀に生きる我々は忙しい日々を送っている。飛行機や列車や車を使い、国内外の旅に費やす時間も長い。出張もあれば友人や家族を訪ねる旅もある。娯楽のための旅もある。移動が多いと、煉瓦としっくい造りの伝統的な図書館を訪れる時間を取りにくくなるものだが、旅行中に何かよいものを読みたい人に本を提供するかつてない図書館もたくさんある。

旅行者用の図書館は最近になって誕生したものではけっしてない。すでに16世紀には、ヘンリー8世が公務でイングランド国内を巡る際、本を詰めたトランクが旅のお供となっていた。当時のフランス国王フランソワ1世は、アッピアノス、ユスティヌス、トゥキディデスなどの著作を詰めた旅行用本箱を2つ持っていた。17世紀前半には、イギリス人古物収集家で国会議員でもあったウィリアム・ヘイクウィルが友人や後援者への贈り物として、美しい旅行用本箱を数個注文している。箱は大型本のような形で、中は3段に分かれ、ラテン語で書かれた古典作品（ミニチュア版でベラム装丁）が入っていた。中国でも17世紀の旅行用本箱が残っている。珍重されている黄花梨材を使った、凝った作りの本箱だ。

旅行用本箱はやがて姿を消し、21世紀には電子書籍リーダーが広く使われるようになった。それだけではない。空港、駅、そして電車やタクシーの中でも、さまざまな図書館設備が利用できるようになった。特に空港は、何エーカーもある空間を店舗で埋めるだけでなく、利用客の購買欲以外の需要も満たそうとしている。アメリカではカンザス州立図書館が州内の空港と提携し、「空の旅に本を」キャンペーンを通じて旅行客に電子書籍を提供している。QRコードのついたカードが空港周辺で配られ、カンザスの住民はこれをスキャンして、州立図書館の電子貸出サービスから電子書籍を閲覧することができる。カンザス図書館会員ではない旅行客は「プロジェクト・グーテンベルク」というウェブサイトに行くと、版権の切れた本を見ることが可能だ。フィラデルフィア国際空港でも同様のプロジェクトを実施しており、空港を訪れる客がフィラデルフィア・フリー・ライブラリーの電子書籍をターミナル間の通路にあるバーチャル・ライブラリー・ホットスポットで利用できるようにした。また、「ライブラリー空間」には背もたれのある座り心地のよい椅子が用意され、空間全体に本の背表紙が描かれて、それらしい雰囲気を作っている。ここでは3万冊強の電子書籍や1000以上のポッドキャスト番組にアクセスできる。このサービスは地域住民は無料で利用できるが、それ以外の人々は少額を払わなければならない。

ヘイクウィルの旅行用ライブラリー

17世紀にウィリアム・ヘイクウィルが注文したもの。神学と哲学、歴史、詩の3つのジャンルに分かれている。

Theol. Philos:
Histor
Poet:
Salomonis
Augustin Soliloq
Manuel
Anselm Medita
Bernard Medit
Tho Aquin Flores
Busei Enchirid
Kemp de Imit chri
Nauar Compend
Toleti Compend
Bonauent Soliloq
Moulin de lamour diuin
Precation Auenarij
Du Bartas
Lips de Constan
Epictetus
Cebes
Cicero
Offic
de Senect
de Amic
Paradox
de Somn Scip
Jul Cæsar Com
Salustius
Tacit
Justinus
Val Maxim
Suet Tranqu
Q. Curtius
Petr Arbiter
Florus
Patercul
Aur Victor
Festus
Mess Corbin
Cassiodorus
Eutropius
Lipsij politic
Lipsij Flores
Danei Politic
Virgilius
Ouid Metam
Epist
Amor
Ouid Art Amand
Rem Amor
Ouid Fast
Trist
Ponto &c
Lucanus
Catull
Tibull
Propert
Horatius
Juuenalis
Persius
Terentius
Martialis
Senec Trag
Claudianus
Prudentius
Lucretius

世界初の空港の常設図書館は2010年、アムステルダムのスキポール空港に開設された。図書館を運営する非営利組織プロビブリオはオランダの公立図書館を支援し、約30カ国語に翻訳されたオランダの小説も含め、1250冊ほどを揃えているほか、オランダ文化に焦点を絞ったデジタル・コンテンツが入っているiPadもいくつか備えている。ただし、この図書館の本はその場で読むだけで貸出は行われていない。

プロビブリオはハールレム駅にも図書館を開設している。これは「駅の図書館」と呼ばれ、書店のように本が棚に並べてある。館内はいくつかのエリアに分かれ、特急サービスエリアでは本を返却し、別の本を選んで借りるのに30秒とかからない。最近国内で話題になった本を展示するテーブルが置かれたエリアもあれば、ベストセラーを集めたエリアもある。読書用テーブルと椅子が用意され、コーヒーや紅茶も飲める。市立図書館カードはここでは使えず、利用者は年会費を払うか、本1冊ごとに使用料を払う。返却が遅れた場合は延滞料が科せられる。

地下鉄の駅でも図書館ネットワークが栄えている。地下鉄網に図書館サービスを初めて導入した国はチリだ。1996年に創設されたビブリオメトロ・サービスは、今や地下鉄網全体で何千冊もの本を貸出し、実質上チリ最大の公立図書館となっている。スペインやコロンビアもこれに続き、駅構内に前面がガラス張りのスタンドを設置している。ここで借りた本は、ビブリオメトロに参加しているどの駅のスタンドでも返却できる。

電車に乗っていても、本が欲しい気持ちを抑える必要はない。スペインではカタルーニャ公営鉄道とランダムハウス社が提携し、ビブリオトレンという実験的プロジェクトを開始した。客車をバーチャル図書館と電子書籍ストアを足して2で割ったようなものにするという試みだ。車両内には本のカバーを写したポスターが張られ、それぞれにQRコードがついている。乗客は選んだ本の最初の章をスマートフォンで読むことができる。読み終わるとその本を買える場所を示したリンクが届く。電子書籍として買うならオンライン上のストアが、紙書籍なら個別の書店が示される。ルーマニアのボーダフォン社も同じような実験的試みをブカレストのヴィクトリエイ駅で行い、アメリカではマイアミ広告学校の学生たちがニューヨーク市の鉄道でやはりポスターを使ったライブラリー・プロジェクトを提案した。

タクシーも乗車中に読めるものを提供し始めている。ブラジルのサンパウロでイージー・タクシー社が始めたビブリオタクシーは、今や国内の25都市で展開され、さらにチリ、コロンビア、ペルーにまで広がり、南米全体で約5万台となっている。本は運転席の背に掛けてあり、乗客はノートに記入して持ち帰ることができる。返却はビブリオタクシーならどの車にしてもよい。書店チェーンのサライヴァは8万冊をビブリオタクシーに寄付した。現在、モバイルアプリを利用したビブリオタクシーのデジタル版が開発中である。

テルアビブには、セントラル・バスステーションに近いレビンスキー公園に休憩できて本も読めるガーデン図書館がある。この図書館は地域の大切な中心として、また到着したばかりの移民や亡命を求める人々のコミュニティ・センターとして機能している。

最初にタブレットで電子書籍を読み始めた人々の中には、仕事で出張する人や観光客も含まれていたが、こうしたタブレットの普及期は伝統的な紙書籍を所蔵したホテルの図書館が増えていく時期と重なっている。旅のさなかに何時間も画面を見つめていた人々は、紙書籍の感触を好ましく受け止めているように思われる。また、ホテル経営者にとってうれしいことに、図書館はホテル内のバーやレストランの売上に貢献している。図書館が入っていると客がホテルで過ごす時間が長くなり、したがってホテル内でよりいっそうお金を使ってくれるというわけだ。

伝統的な設備に加え、よい図書館を備える大切さを認識するホテルが増えている。ニューヨークのノマド・ホテルもそのひとつで、ライブラリー・ダイニングルームにはジュニパー・ブックスのサッチャー・ワインが厳選した3500冊が並び、まるで一風変わった旅行好きの億万長者宅の読書サロンといった雰囲気がある。本のジャンルはニューヨーク史、神秘主義、哲学、カクテルとじつに幅広い。

こうした新しいホテルの図書館には、そのホテルの特徴や理念が反映されている場合が多い。タイのサムイ島にあるザ・ライブラリー・リゾートは建築家兼インテリア・デザイナーのティラワン・ソングサワットが設計したもので、プールのすぐ隣に読書室が作られている。ホテルの名に恥じないその部屋は真っ白で、余計なものは何一つ置いていない。いっぽう、同じタイのリゾートホテルでもクード島のソネバ・キリは宿泊客の子どもたちのために子ども活動・教育センターを設け、そこにすばらしい図書館を造った。マンタ（イトマキエイ）の形をした竹製のドームが特徴の図書館だ。

図書館が単なる設備のひとつではなく、主要な特徴となっているホテルもある。イギリスのギルフォードにあるラディソン・ブルー・エドワーディアンは、毎年開催されるギルフォード・ブック・フェスティバルの一環として著者にまつわるイベントを行っている。このホテルのロビーの中央には床から天井まで届くみごとな図書館がある。地元出身の作家ルイス・キャロルの作品にヒントを得て作られた、妙に歪んで登れない梯子がひときわ目を引く。梯子の横木にはガラス板が取りつけられ「図書館員専用」と書いてある。このホテルよりさらに図書館というテーマや装飾を強調したものもある。ニューヨークのザ・ライブラリー・ホテルは宿泊客用フロアが10階あり、各階はデューイ十進分類法〔図書分類法〕に従って置かれている本の分野が決まっている。しかも、全60室の客室にもその分野に関する本が備わっている。

ウェールズのハワーデンにあるグラッドストーンの図書館は、ウェールズでも数少ない等級1の建物リストに入っている。ここは本のコレクションが充実しているホテルというだけではなく、「宿泊できる図書館」を売りにしているのだ。イギリス首相ウィリアム・グラッドストーンが学術研究図書館として1889年に建てたもので、彼は4万ポンドと3万2000冊以上もの自分の蔵書を寄付した。蔵書の多くは彼が自宅から図書館まで自ら手押し車で運んだという。この宿泊型ライブラリーではライター・イン・レジデンス〔作家が一定期間滞在し作品を書く〕や、さまざまな講習やイベントが行われている。蔵書は20万冊を超え、ジャンルは神学、歴史、哲学、古典、芸術、文学にわたるほか、グラッドストーンの手紙を含む重要な手書き文書のコレクションもある。

このグラッドストーン図書館のような「文学的」ホテルは、ホテル内の図書館という枠を超え、文学そのものに深く関わっている。アムステルダムのアンバサダー・ホテルが所蔵する署名入りの初刊本コレクションは3000冊を超えており、国内外の出版社との長年の交流が窺い知れる。このホテルのマネジャーで司書でもあるエールコ・ダウマは言う。「交流が始まったのは1970年代でした。外国の出版社の方々が当ホテルを選ばれ、同行する作家のための予約も取ってくださいました。皆さんはオランダ語に翻訳された作品を宣伝するためにいらしたのです」。モロッコのマラケシュにあるホテル、ラ・マモウニアはさらに一歩進み、フランス語で書かれたモロッコ文学を促進するため、毎年「ラ・マモウニア文学賞」を開催している。ノミネートされた作品はすべてホテルの図書館に所蔵される。

こうしたホテル・ライブラリーにとって、本を選び調達するのはかなりの大仕事だ。解決策として、出版社と提携するという手もある。アメリカとカナダでは、447軒のホテルを所有するカントリー・イン&スイーツがペンギン・ランダムハウス社と提携し、「読んで返す貸出図書館」プログラムを運営している。宿泊客はランダムハウス社の小説や児童書を借りることができ、返却はこのプログラムに参加している他のホテルでもよいというものだ。また、ニューヨークのホテル、トランプ・ソーホーでは、ドイツのタッシェン社が刊行するさまざまな美術書を図書館利用客に提供している。

地元の書店を利用しているホテル・ライブラリーもあり、新たなニッチ産業が成長しつつある。図書館用の本選びを専門とするもので、たとえばロンドンを拠点とするアルティメット・ライブラリー社が挙げられる。設立者のフィリップ・ブラックウェルは、一族で出版と書店の「帝国」を築き上げ、今では何十もの国内外のホテルやリゾートホテルに、注文に合わせた品ぞろえを提供している。顧客はイギリスの伝統的なホテルから時代の先端をゆくようなホテルまでさまざまだ。前者の例として、エクセターのマグダレン・チャプターやチェルトナムのモンペリエ・チャプターなどが挙げられる。後者の例として、本書ではアンティグア島のカーライル・ベイ・リゾートを紹介している。パステルカラーの光ファイバー照明を使ったおしゃれなライブラリーだ。アルティメット・ライブラリー社は新刊書も古書もとりまぜ、ホテルの場所、客の平均滞在日数、他の設備、その土地の観光スポットなどを考慮して本を厳選している。

図書館列車

ビブリオトレンはスペインのカタルーニャ州の鉄道で試験的に導入された。客車の窓にQRコードがあり、通勤客は自分のスマートフォンで読み取りダウンロードする。こうした電子図書館列車は10両編成で10台ある。文学作品が全体の40%を占め、最も人気ある作家はガルシア・マルケスだ。

マドリードの地下鉄図書館

マドリード周辺の地下鉄駅構内にはビブリオメトロのユニットがあり、午後1時半から夜8時まで開館している。どこも800冊ほどを揃え、利用者は一度に2冊まで借りられる。貸出期間は2週間で延長も可。返却はどのユニットでもよく、返却ボックスも用意されている。

Si te afeitas salgo contigo

サンティアゴの地下鉄図書館

チリのビブリオメトロ計画は年間44万冊をサンティアゴの地下鉄駅20カ所で貸し出すというもので、現在は約5万人が頻繁に利用し、9万冊を蔵書している。本の大半はスペイン語だが、イララサバル駅には英語の本、キンタ・ノルマル駅には日本語の本も置いてある。

防空壕のそばの図書館

テルアビブのセントラル・バスステーションに近いレビンスキー公園には公共の防空壕があり、そのすぐそばにガーデン図書館がある。総合芸術NGOのARTeamと移民支援プロジェクトMesilaが共同で2009年に造ったもので、現在は100人のボランティアが運営にあたっている。この図書館はイスラエルの外国人コミュニティや難民、季節労働者を支援するものだが、地元の人々にも人気がある。兵士から尋問されずにくつろげる場でもあり、子どもたちのための課外プログラム、さまざまな文化イベントや講座も提供している。

ガラスを用いた2つの書架に収められた本は約3500冊、言語は中国語、ティグリニャ語〔エリトリア〕、アムハラ語〔エチオピア〕、タイ語、タガログ語〔フィリピン〕、トルコ語、ルーマニア語、ロシア語など16言語におよぶ。並べ方はジャンル別や著者別ではなく、利用者の気分に合わせて、面白い、退屈、奇抜、気が滅入る、わくわくする、感動的、感傷的といった分け方になっている。

Antropofagia
Existiu
Gostou do livro? Então leve para casa!
BIBLIOTÁXI
O projeto Bibliotáxi incentiva a leitura e a troca de conhecimento entre os passageiros da Easy Taxi.
Funciona assim: você leva qualquer livro para casa e, após lê-lo, o devolve em sua próxima corrida pela Easy Taxi. Ah, e você também pode ajudar a aumentar esta corrente, doando um livro para qualquer Easytaxista!
Fácil, não? Agora é só escolher e ler!
EASY TAXI
Baixe na
Windows Store

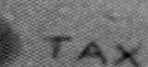

図書館タクシー

ビブリオタクシーを始めたのはブラジル・サンパウロのタクシー運転手アントニオ・ミランダだ。常連客に本を貸していたのがきっかけでNGO団体モビリダンテ・ベルデの支援を受けるようになり、今ではイージー・タクシー会社の標準設備となっている。

地下鉄内の図書館

ニューヨーク市の地下鉄では、列車内のポスターにスマートフォンをかざすだけで読みたい本の最初の数ページを読むことができる。そして、その紙書籍を所蔵している最寄りの図書館を示した地図が送信される。このバーチャル図書館を考案したのはマイアミ広告学校の学生たちだ。

駅の図書館

オランダのハールレム駅の図書館は通勤客を対象としたもので、オランダの海浜で展開されている同様のプロジェクトをヒントに作られた。企画した組織プロビブリオは、このような図書館を国有鉄道の10駅に拡大したいと考えている。

アメリカの空港図書館

フィラデルフィア国際空港には図書館が入っている。利用者の行き先がどこであれ、この図書館は「教養、学び、インスピレーションへのパスポート」だとフィラデルフィア・フリーライブラリー〔公共図書館〕のコーディネーターであるジェニファー・ドンスキーは言う。

艦と人
BLOD OCH GELD

図書館内部の特徴は、閲覧室にある真鍮のテーブルと、壁の前に立てられた真鍮のついたてだ。真鍮の表面はゆるやかに波打ち、景色がやや歪んで映り、それが窓の外に見える海を思わせる。書棚のラベルも真鍮製で、本のジャンルが日本語と英語で記されている。

海の図書館

瀬戸内国際芸術祭2013年の作品。瀬戸内海に浮かぶ粟島にある1920年代に建てられた校舎を利用したもので、作者はスウェーデンの建築家グループETAT Arkitekterだ。このプロジェクトの目的は、国際的な知的交流の精神を再現することにある。かつてアレキサンドリアやベネチアなどの港町には立派な図書館があり、世界中から旅人、船乗り、商人、学者が集まっていた。

オランダの空港図書館

オランダの首都アムステルダムのスキポール空港には画期的な発想の図書館があり、他の6つの空港（主にアメリカ）でも取り入れられている。蔵書はオランダの建築、視覚芸術、デザイン、ファッション、歴史が中心で、職員はおらず、年中無休で1日24時間利用できる。図書館の中央には大きな閲覧用テーブルがあり、11の座席があるほか、背もたれのついた座り心地のよいラウンジチェアが14ある。一部のチェアにはiPadが組み込まれている。

リゾート地の図書館

タイのクード島のリゾート地ソネバ・キリにある子ども用の図書館兼娯楽総合施設。設計したのはオランダの24H>architectureという会社だ。図書館エリアにはふかふかのクッション、空中に浮かぶ閲覧室、寝ころべるネットなどがある。また、映画室、美術室、音楽室、滑り台もあり、バルコニーで涼むこともできる。

建物はマンタ〔イトマキエイ〕を模して造られた。使用されている竹や木材はほぼ地元産のものを使用している。

図書館ホテル

ニューヨーク市のザ・ライブラリー・ホテルではホテル内のほぼあらゆるエリアに選び抜かれた本が並べられ、書物を楽しむ雰囲気が巧みに醸し出されている。この写真は大閲覧室で、1日24時間利用できる。蔵書は数千冊あり、無料のフィンガーフードとドリンクも提供されている。

究極のブッククラブ

カリブ海に浮かぶアンティグア島のカーライル・ベイ・ホテルには光ファイバー照明を使った図書館があり、まるでナイトクラブのような雰囲気を味わえる。アルティメット・ライブラリー社が吟味した蔵書は、旅行ジャーナリストが浜辺で楽しむ本が中心となっている。

図書館リゾート

タイのサムイ島のザ・ライブラリー・リゾートは1300冊の蔵書を誇っている。利用者は本を借りるだけではなく、購入することもできる。ホテルの敷地内にはグラスファイバー製の読書を楽しむ人々をかたどった像が飾られている。

Adoration and Glory
Super Structures
THAILAND
Rhythm & Verses
501
501
ANDO
BIRDS OF THE WORLD
PIANO
CONTEMPORARY
WORLD
ARCHITECTURE
CAMBODIA
CINEMA
ART NOW
THE ART BOOK
Leonardo da Vinci
dunhill by design
EXPERIMENTAL
PARIS
Arts and Crafts of Thailand
Classic Thai
THAI STYLE

個人宅の図書館

北ウェールズにあるビクトリア時代の英国首相ウィリアム・グラッドストーンの旧邸には、豪華な図書館とホテルと会議センターが入っている。グラッドストーンが生涯かけて集めた膨大な本のコレクションは、かつて鉄製の大きな部屋の中に置かれていた。部屋は間に合わせに作ったもので、「ブリキの礼拝所」または「鉄の図書館」と呼ばれていた。現在の図書館は彼の死後に造られた。費用は彼を追悼する人々の善意でまかなわれ、1902年に開館した。

GLADSTONE

ホテル内の図書館

ニューヨークのノマド・ホテルの図書館は上下2階に分か
れ、フランスのアンティークな螺旋階段と狭い通路が特徴
だ。もし3500冊の吟味された蔵書に魅力を感じなくても、
この図書館で朝8時から正午まで焼き菓子が、夕方5時か
ら夜の12時まで軽食が出されるのは悪くないだろう？

箱のような図書館

イギリス・ギルフォードのラディソン・ブルー・エドワーディアン・ホテルのロビーには、大きな木製の箱型スペースがある。テレビには暖かそうな炎の映像が流れ、心地よい読書空間を提供している。本は裏側にある床から天井までの書棚に収められている。

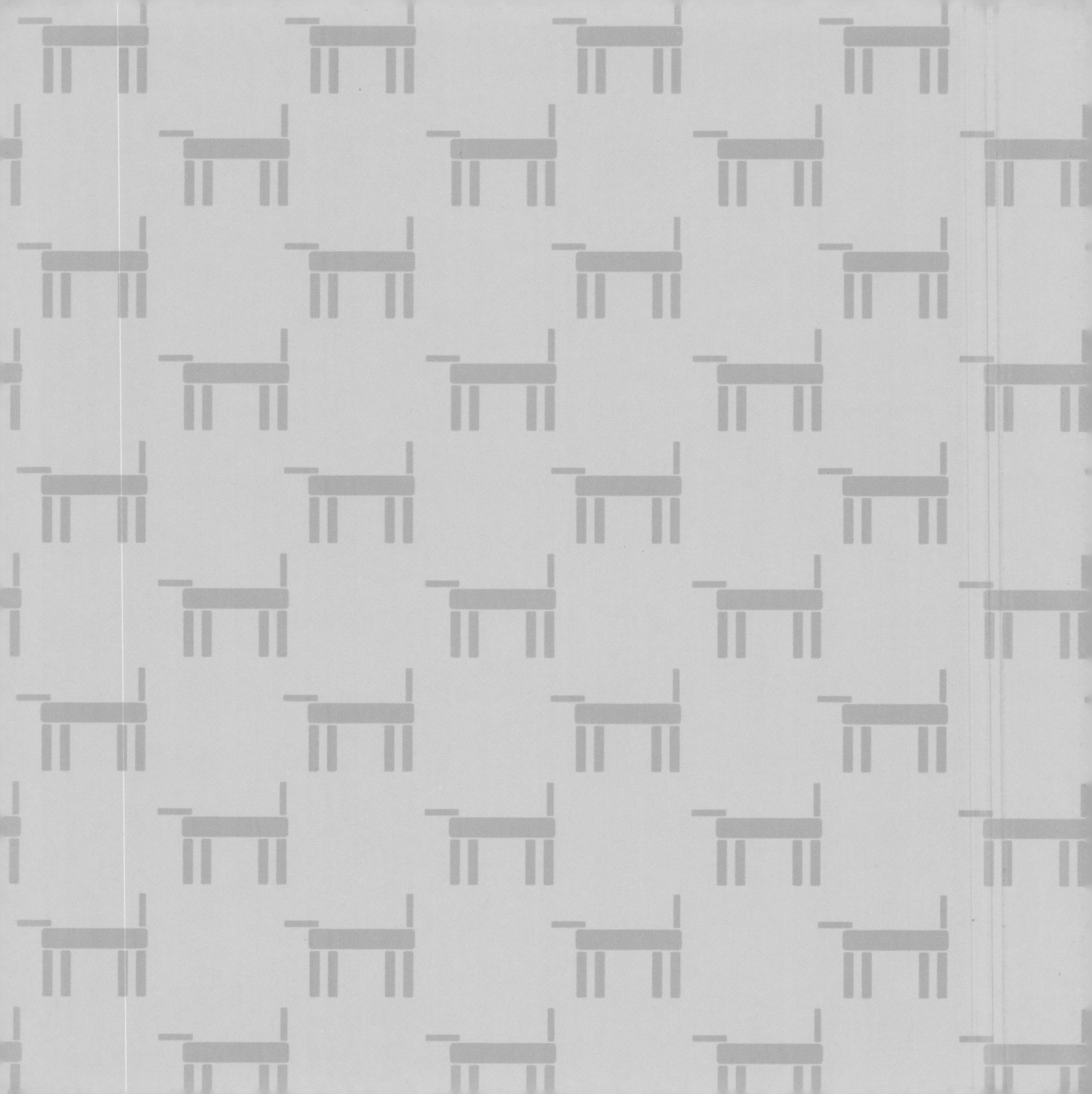

2
動物図書館

伝統的な図書館を建設するにはお金がかかるため、たいていの貧しく辺鄙な地域では手が届かない。移動図書館はもちろん解決策となるが、自動車を使うにもお金がかかるうえに、車の走れるよい道が必要だ。それにひきかえ動物が本を運ぶ移動図書館なら、インフラが限られている土地にでも行ける。しかも維持費が安く、環境にとても優しい。本を手に入れられない地域に住む大人や子どものために、動物を使って移動図書館サービスを提供している例が世界中で数多く見られる。

20世紀初頭のアメリカでは、馬が引く移動図書館が人口のまばらで広大な農村地帯を回っていた。いちばん最初の移動図書館はメリーランド州の「ワシントン郡フリー・ライブラリー」で、メアリー・ティットコームが1905年に創設した。箱詰めにした本を荷馬車で郡内に点在する小さな町の雑貨屋や郵便局に運ぶものだ。この荷馬車は見た目がとても地味だったが、あるとき葬儀用の馬車と間違えた農民に追い払われ、それからは赤く塗られるようになった。

30年後の1935年、ケンタッキー州東部の農村部で、近くに公立図書館のない人々に本などの読み物を届けるパック・ホース・ライブラリー・プロジェクトが始まった。これには公共事業促進局(WPA)が絡んでおり、大恐慌時代に女性の雇用を創出するという明確な目的があった。WPAはこの移動図書館の本部で働く司書に給料を出した。司書たちは本部から馬かラバでアパラチアの最も辺鄙な地域に本を運んだ。岩だらけの土地やぬかるみを越え、移動距離は週130キロにも達していた。動物では行けないような家もあり、その場合は徒歩で、または手漕ぎボートで進むしかなかった。大人にいちばん人気があったのは雑誌、特に『ウィメンズ・ホーム・コンパニオン』や『ポピュラー・メカニクス』といった実用的な雑誌だったが、最も需要が高かったのは子ども向けの本だった。

アメリカ初の馬が引く移動図書館で本をながめる子どもたち。メリーランド州ワシントン郡(1905年頃)

コロンビアの移動図書館「ロバの図書館」は2頭の

ロバ（名前はアルファとベト）の背に本の袋を乗せ、カリブ海沿岸に近い内陸地域に本を運んでいる。創設者は小学校教師ルイス・ソリアーノで、最初は70冊を運んでいたのが今では5000冊を超え、彼の妻子も運営を手伝い、家族ぐるみの事業となっている。最も人気のあるジャンルは子ども向けの冒険物語だが、小説、百科事典、医学の教科書も扱っている。パウロ・コエーリョの小説『ブリーダ』が盗賊に盗まれた事件はよく知られている。盗賊たちはルイスを縛り上げたが、お金を持っていないことがわかり、この本だけを奪ったのだ。ルイスは2012年、本の運搬中に事故に遭い片足を失った。「この仕事が好きだから無償でやっています。財産はほとんどありませんが、血も汗も涙もたっぷりありますからね」

1930年代、ケンタッキー州東部の人里離れた山間部に住む人々を訪ねるパック・ホース・ライブラリーの司書。

ジンバブエの北西部、ヌカイ地区ではロバに引かせた移動図書館が辺鄙な村向けにサービスを行い、大成功を収めている。この地区で読み書きできる人の割合はじつに86％と見積もられている。主にこのロバの図書館のおかげだ。

ロバは2005年からエチオピア・リーズという組織が行っている移動図書館サービスでも重要な役割を果たしていた。もっとも、現在は馬やバイクを使う新プログラムが始まり、ロバは引退している。このサービスは本を提供するだけではなく、アムハラ語〔エチオピアの公用語〕、英語、数学、科学を週に数回、地元の子どもたちに教えてもいる。組織スタッフのジェニファー・マーティンは次のように言う。「司書たちは村に入り、外で羊の世話や農作業をしているか、水汲みをしている子どもたちを呼び集めます。皆は大きな木の下に集まり、授業を受けるのです。一度に200人集まることもあります」

ベネズエラでは2010年にモンボイ大学が「ラバの図書館」というプロジェクトを開始し、ラバが山村に本を運んでいる。ロサリア・ラミレス教授の指導のもと、2頭のラバ（名前はセニソとカネーラ）はネルソン・サルセードとルーベン・バスケスの2人が世話をしている（3頭目のゴロンドリーナは本の運搬を開始した2013年に盗まれた)。本の他にノートパソコンや無線モデムを運び、受信範囲が限られたわずかな電波を村人たちが最大限に活用できるよう手助けもしている。

ラオスを中心とした慈善団体ビッグ・ブラザー・マウスは2006年からラオ語の本を刊行し、農村で教員訓練や本に関するイベントを行い、首都ビエンチャンで書店を経営してもいる。ラオ語で書かれた本を手に入れるのは昔から困難だったため、このプロジェクトは特に重要な意味を持っている。ビッグ・ブラザー・マウスは女性の健康に関する本から『アンネの日記』まで、今までに300冊以上を刊行している。また、同団体の職員は農村部の学校で読解テストを行い、1年間の読解力の伸びを測っている。多くの村は道路網に組み込まれておらず、徒歩かボートを使わないと行けない。今ではビッグ・ブラザー・マウスのおかげで、サイニャブーリー県の一部の村にはブーン・ブーンという名の象が本を届けている(ラオ語でブーンは本の意)。職員の話では、村の子どもたちは以前からビッグ・ブラザー・マウスが到着すると喜んでいたが、象が来るようになってからさらに大喜びしているそうだ。最も人気があるのはラオ族の昔話で、海の生物や昆虫、恐竜の本も好まれている。大人が読みたがるのはラオ料理の本だ。そういう本は他ではなかなか手に入らない。

モンゴル人作家ジャンビーン・ダシドンドクは子どもの本や詩集を何十冊も書いているだけではない。この20年間、彼はラクダに乗り——馬にも牛にもトナカイにも乗り——全国の子どもたちに本を届けている。彼の移動図書館プロジェクトは2011年、イギリスに本部を置く慈善団体ゴー・ヘルプと協力関係を結んだ。ラクダを使った移動図書館はケニアにもある。1985年、ケニア国家図書館サービスによって創設され、特に干ばつに見舞われた東部を中心に定期的に巡回している。

世界中の人里離れた地域では、今でも動物を使う移動図書館が重要な役割を果たしている所が多い。馬であれ、ロバ、ラバ、象、ラクダであれ、こうした伝統的な方法は、自動車が誕生して1世紀経った今もなお、本を届ける司書たちに好まれている。

ロバの図書館

コロンビアの小学校教師ルイス・ソリアーノは、ロバに乗って遠い僻地に本を届けている。盗賊にも負けず、困難を乗り越えながらこの活動を続けているのは、彼が本や子どもたちを愛しているからだ。

Cafe'
EL PASO

ラバの図書館

ベネズエラでは、アンデス山中の農村にある学校に毎週ラバの図書館がやって来る。この活動はモンボイ大学の支援を受けていて、ラバは本の他に寄付された服や電子機器を届けることもある。

HOM
TELL ME THE TIME

ラクダの図書館

モンゴルでは、ラクダを使った子ども向け移動図書館が遊牧民のいる場所やゴビ砂漠の辺鄙な地域に本を届けている。図書館の設立者ジャンビーン・ダシドンドクは、子ども向けの本を70冊以上書いている作家でもある。このプロジェクトでは、子どものうちに読書好きにすることを親に奨励している。

エチオピア・リーズ

本に接する機会に恵まれない子どもたちのために、エチオピア・リーズという団体がロバや馬、オートバイを使った移動図書館を運営している。司書は子どもたちに本を読んで聞かせ、どんな本を借りたらいいかをアドバイスする。

EBCEF
RLLD
EBCEF
ETHIOPIAN BOOKS FOR CHILDREN AND EDUCATIONAL FOUNDATION
RURAL LIBRARIES & LITERACY DEVELOPMENT
DONKEY MOBILE LIBRARY

ESCAFE
Marlboro

ゾウの図書館

ラオスでは非営利組織ビッグ・ブラザー・マウスが出版や図書館サービスを行っている。サイニャブーリー県の一部の村では、最寄りの道や航行可能な川に出るまで2日もかかり、本を手に入れる方法は移動図書館の他に何もない。そういう村を訪れるために、ゾウは重要な役割を担っている。

誰でもゾウの図書館から1冊借りられる。余った本は学校に置かれ、自分の分を読み終えた子はその中の1冊と交換できる。

3
小さな図書館

電話ボックスや手作りの箱、そして冷蔵庫までもがプチ図書館に変身し、町の中に出現している。それも世界のそこかしこで、急速に。このようなミニサイズの貸出図書館は社会における本の革命をリードし、小さいながら大勢の人々に確実に読み物を提供している。

スマートフォンやタブレットで本を読む時代に、煉瓦としっくい造りの伝統的な図書館は存在を脅かされているように見える。だが、こうしたデジタル端末の普及は思わぬ効果をもたらした。今までにない、まったく新しいタイプの図書館が現れたのだ——それが電話ボックス図書館である。2002年の時点では、イギリス全土に9万2000個の電話ボックスがあった。その後、携帯電話に圧倒されて半分ほど撤去されたが、所有者のブリティッシュ・テレコムは残りの半分について、2009年に「電話ボックスを利用しよう」というプログラムを実施した。おなじみの赤い電話ボックスをわずか1ポンド〔200円前後〕で地域社会に提供し、住民が活用できる空間にするよう呼びかけたのだ。このプログラムは大成功だった。1500個以上の電話ボックス（初めて登場したのはジョージV世の国王在位25周年の1935年で、設計者はジャイルズ・ジルバート・スコット）が雑貨屋、野生生物情報センター、ティールーム、アート・ギャラリー、AED（自動体外式除細動器）の設置所となり、新たな地域図書館になったものも何十とあった。この電話ボックス図書館の呼び方はさまざまで（本の交換所、ブックボックスなど）、貸出規則もいろいろだが、ほとんどが利用者の誠意を信じる形で運営されている。地元の利用者は電話ボックス内に設置された本棚から本を借りて戻す。本の寄付は任意で、返却が遅れても罰金はない。

海を隔てたアメリカでは、ブック・ブースと呼ばれる電話ボックス図書館がクリントン町立図書館（ニューヨーク州クリントン・コーナーズ）の正式な分館となっている。この電話ボックスは、町でブリティッシュ・ティールームというカフェを営むデイヴィッド・ビーンと妻ジーニーが1990年にイギリスから輸入し、店のシンボルとして設置したものだった。これに目をつけたのがクリントン町立図書館のクラウディア・クーリーだ。彼女はイギリス初の電話ボックス図書館の記事を読み、自分たちもやってみようと考えたのだ。その後ビーン夫妻は寛大にも電話ボックスをクリントン町立図書館に貸与することにした。クーリーは言う。「鍵はかけず、開館時間を設けない。この点だけはどうしても譲れなかった。私たちの小さな図書館は1日24時間、365日ずっと利用できる。人感センサー付きのソーラーライトがあるので、夜更けに本を読みたくなった人がボックスのドアを開けたら、自動的にライトがつく。毎日か1日おきぐらいに新しい本が増えていっているわ。一度に2冊まで借りられる。棚の本がぐしゃぐしゃになっているときもあるし、誰かが短いメモを残していくときもある。そういうのを全部ひっくるめて、アートのような美しさが感じられるの」。ブック・ブースは町の人々の連帯感を高め、また町に人を呼びこみ、それによって地元の商店が活性化するという利点についてもクーリーは語っている。

使われなくなった電話ブースが図書館として再生するのは田舎だけではない。建築デザイナー、ジョン・ロックはニューヨーク市内の4個の電話ブースをミニ図書館に仕立て上げた。最新作はアムステルダム・アベニューと西87番街の交差点にあるブースだ。初めてこの図書館を作ったところ、設置して数時間のうちに誰かが本をごっそり持っていってしまった。そこでロックはどの本の背表紙にもはっきりわかるロゴをつけ、盗まれにくいように工夫した。電話ブースが街に与えている特殊な社交の場を維持するのが彼の夢だ。「公衆電話は過去の遺物として姿を消しつつある。かつて人々が共有していたスペースを残しておいても、なんの役にも立たないかもしれない。でも、チャンスの場にもなりうるんだ。近所の人同士が集まってよい本を交換できるしくみだって作れる」。ミニ図書館は彼の「都市改善活動」のひとつで、本は地元住民から寄付されている。ロックは合板で棚を作り、電話ブースに取りつける。電話自体もまだしっかりその役目をはたしている。

都市での電話ブース・プロジェクトはプラハでも行われている。地元住民で友人同士であるモニカ・セルブソヴァとパーヴェル・ゼレズニーが考案し、今ではチェコの通信事業社テレフォニカから支援を受けている。テレフォニカはイギリスのブリティッシュ・テレコムと同様のプロジェクトを立ち上げ、使われなくなった都市部の電話ブース（病院、商店街、駅など）をミニ図書館に変えている。

このような公衆電話を活用した図書館がきっかけとなり、世界各地の街角にさまざまな屋外のミニ図書館が誕生することとなった。ベルリンではデザイン会社のBauFachFrauが木の幹をそのまま利用して製作した「本の森」が誕生した。ギリシアには電話ボックスと同じ大きさの「本を交換できる本棚」が8つある。設計者は建築家のエイリニ・アイミリア・イオアンニドゥとエレフテリオス・アンバツィスだ。コロンビアでは小さな屋根とベンチのついた「公園の図書停留所」が、オランダにも同様のミニ図書館が登場している。ニュージーランドではカンタベリー地震ののちに、都市再生構想「ギャップ・フィラー」の一環として、不要となった業務用冷蔵庫を改造したミニライブラリーが誕生した。他の国々でも、たとえばディディエ・ミュラーやマルタ・ウェンゴロヴィウスのようなアーティストたちがミニ図書館を兼ねた芸術作品を屋外に設置している。

21世紀のミニ図書館プロジェクトとしておそらく最も成功しているのはリトル・フリー・ライブラリー

だろう（モットーは「1冊借りたら1冊返す」）。防水加工をした手作りの本棚は、特大サイズの鳥の巣箱のように見えるものが多く、個人宅の前庭やバス停、公園などに設置されている。コーヒーショップの店内やレストランの近くに置かれているものもある。誰でも1冊持ち帰ることができ、代わりに1冊入れていく。最初のリトル・フリー・ライブラリーは2009年、ウィスコンシン州ハドソン市のトッド・ボルが制作した。教室が1つしかない昔の校舎をモデルとし、元教師で本好きな母親に捧げたのだ。彼はこれを自宅の前庭に設置し、社会事業の専門家リック・ブルックスと手を組んだ。このプロジェクトは人々の想像力をかきたて、今では世界に1万2000以上のリトル・フリー・ライブラリーが存在している。ほとんどはアメリカとカナダだが、ガーナ、パキスタン、インド、オランダにもある。

　非営利組織となったリトル・フリー・ライブラリーの目標は、大人も子どもも読み書き能力を高め、読書を愛する気持ちを育てることだけではない。新着本を物色しながら近所の人同士でおしゃべりを楽しみ、地域の連帯感を強めていくこともめざしている。リトル・フリー・ライブラリーのおかげで客が増えたという地元の店主もいる。また、不動産屋によると、家を探している客は近所の雰囲気を判断する際の手がかりのひとつにしているという。「本を並べて無料で提供するだけなら、数カ月でつぶれていたかもしれません」と主催者たちは語る。「リトル・フリー・ライブラリーにはユニークな味わいがあり、お気に入りの本を地域の人々といっしょに分かち合うという温かみのある関係が築かれています。ここに置かれている本はただの古本の寄せ集めではありません。管理の行き届いたコレクションであり、ライブラリーそのものが地区の芸術作品となっているのです！」

リトル・フリー・ライブラリー・プロジェクトは世界中に広まった。パキスタンのラッキ・マルワット地区に作られたこのボックスは、地元の堡塁の形に似せてある。

　リトル・フリー・ライブラリーの建築物的な要素は

人々に刺激をもたらし、2013年にはニューヨーク建築協会やPENワールド・ボイシーズ・フェスティバルを含む魅力的なプロジェクトがニューヨーク市で立ち上げられた。建築家とロウアー・マンハッタンの地域組織が手を組み、数々の地区用に本のための小さな「シェルター」を設計することになったのだ。シェルターは他の人々が複製して新たな場所に設置できるよう、設計ガイドラインと設置に関する説明書はオープンソースの状態での作成を求められた。参加者のひとりスン・テク・リーは、ジャンルのまたがる建築活動を行うstpmjというグループに属している。彼はミ・ジョンとアンドリュー・マと共同でバワリー地区に「ミラー・ライブラリー」を作った。運びやすく、組み立てやすいよう2つに分解することができ、街灯や道路標識、木の幹などに取りつけられる。また、建築家マルセロ・エルトルテギーとサラ・ヴァレンテの2人で経営しているステレオタンク社も特徴的なデザインのライブラリーを開発した。木枠にプラスチックのタンクをさかさまにしてかぶせたもので、タンクには小さな穴がいくつかついている。訪れた人はこの穴から中を覗き、それから身をかがめてタンク内に入って本を見る。

ひときわ大胆で記念碑的とも言えるミニ図書館は、2013年にリガ工業大学デザイン科の学生たちが作った「ストーリー・タワー」だ。ツェーシス市立図書館が修復のため一時閉館となり、その代用として本を読んだり借りたりできる施設を作ろうと考えたのだ。木材の骨組みにテトラパックで作った2500枚以上もの屋根板をふいたもので、その内側に本が並んでいる。背の高いテントのような作りのストーリー・タワーは、屋根のある屋外閲覧室でもあり、本の交換所でもある。

本の交換

ディディエ・ミュラーの「都会の本屋」はごく小さな小屋を吊り下げたものだ。中に入っている本を手に取り、読んでみたいと思ったら、代わりの本を寄付すれば自由に持ち帰ることができる。

LIVRE ECHANGE

電話ボックスの図書館

イギリスのハンプシャー州にあるロングストック教区会には、電話ボックスを利用した図書館がある。旧ブリティッシュ・テレコム社が設置していた電話ボックスは、同社の賛同を得て地域で再利用されているものが多く、これもその一例だ。

TELEPHONE
TELEPHONE

THE BOOK BOOTH

大西洋を渡った電話ボックス

ニューヨーク州クリントン・コーナーズにある電話ボックス図書館は、かつてブルース・マーティンが設計したイギリスの電話ボックスK8モデルが使われている。このモデルは現在50個ほどしか残っておらず、そのうちの1つは住民がアメリカ人だけという小さな町にあるブリティッシュ・ティールームというカフェの外に置かれている。ソーラーライトを使い、24時間利用できる。

本の森

ベルリンの通りにあるミニチュア図書館「本の森」は、デザイン会社BauFachFrauが設計した。樹皮はそのまま残した木の幹を箱型にくりぬき、数本をボルトでまとめたものだ。100冊ほど入れられ、本が傷まないよう分厚いプラスチックの蓋がついている。気に入った本があれば自由に持ち帰ることができる。自分の本を寄付するのも自由だ。

公園で読書

コロンビアの公園にはバス停のようなミニ図書館が100以上ある（約半分は首都ボゴタに集まっている）。「公園の図書停留所」というプロジェクトによるもので、このプロジェクトは1999年、非営利団体フンダレクトゥーラが国内の識字率向上計画のひとつとして立ち上げた。350冊ほど所蔵でき、ボランティアが運営している。

PETROBRAS
5
22
26

冷蔵庫の図書館

ニュージーランドでは2010年のカンタベリー地震以降、一時的に生じた空き地を有効に活用しようと都市再生構想の一環として、「古い冷蔵庫を利用したひと味違う本の交換所」が誕生した。

HOLLOW
Think differently...
Community book exchange

ワイルドな本棚

オランダのトレベークにある公共緑地に置かれた「ワイルド・ブックケース」という名の図書館で、本を自由に交換できる。2013年、ウィレム=アレクサンダー国王とマクシマ王妃によって正式にオープンした。

o The library is open 24/7.
USER GUIDE
When you bring a book...
o You don't need to take another.
o Find the «swap-it» stickers on one of the shelves and put it on your book's spine. From now on, it will travel with its ID.
What's best of course is to give and take!
Don't wait! It's your turn to make our library yours...
When you take a book...
o You don't need to bring another
o You don't need to bring it back
o Make sure the «swap-it» sticker is on. If not, put one on by yourself before taking it!

本を交換できる本棚

ギリシアには「本を交換できる本棚」が8つある。いずれも高さは約2メートルだ。建築家エイリニ・アイミリア・イオアンニドゥとエレフテリオス・アンバツィスによると、この本棚を製作した目的は「市民同士の交流を促進し、本との関係や公共の場との関係を修復すること」だという。

της Κηφισιάς
αντάλλαξέ το
swap it
2007
ΑΝΑΔΡΑΣΗ
internet
ΔΗΜΟΣ ΚΗΦΙΣΙΑΣ

www.vivliothiki.org
www.vivliothiki.org

最初の本棚（右）が設置されたのは2012年、アテネ郊外の町キフィシアだった。その後、アテネ（下）やクレタ島（左頁）にも置かれた。一部の本棚には本に加えてゲーム、操り人形、パズルなども収められている。

「ひとつ、ふたつ、たくさん」

ポルトガル人アーティスト、マルタ・ウェンゴロヴィウスによる巡回図書館プロジェクト「One, Two, Many」は小屋のような形の小さな図書館で、蔵書は60冊、一度にひとりしか入れない。設計したのは建築家フランシスコ・アイレス・マテウスだ。この図書館を毎年別の場所に移動させていきたいとウェンゴロヴィウスは言う。

手作り図書館

リトル・フリー・ライブラリーは世界中に1万2000以上もある。シンプルな「小鳥の巣箱」のようなものから創造力豊かな作品、たとえばテキサス州ヒューストンの優しそうなロボット（左）もあれば、愛国心あふれるガーナの箱型図書館（右頁）もある。

CELEBRATING HEALTHIER NEIGHBORHOODS
LittleFreeLibrary
The Brightest Star
Christmas story

一部の電話ボックスは図書館に再生されているが、テキサス州のこのリトル・フリー・ライブラリーはその逆で、電話ボックスの形に似せて作られている。

イリノイ州のこのリトル・フリー・ライブラリーは、イギリスのテレビ番組「ドクター・フー」に出てくるタイムマシンにそっくりだ。見た目よりはるかにたくさんの本を入れられる。

たいていのリトル・フリー・ライブラリーは庭の前に設置されているが、公共の場に置かれているものもある。写真はアイオワ州の公園内に設置されたもの。

LittleFreeLibrary

頭の中は本だらけ

ひときわ目立つこのリトル・フリー・ライブラリーは2人の建築家からなるステレオタンク社が設計した。ニューヨーク市ノリータ地区の旧セント・パトリック大聖堂学校の外にあり、利用者は「いないいないばあ」をして遊んだり、雨宿りもできる。

LITTLE FREE LIBRARY

ストーリー・タワー

ストーリー・タワーを作ったのはラトビアのリガ工業大学の学生たちだ。ツェーシス市の図書館が修復のため閉館したため、一時的な屋外閲覧室として作った。高さ5メートルの木造で、屋根はテトラパック容器をたたんだものだ。

ONE WAY
Phone
IT ALL ENDS
H.N.
SCHOOL
EXCEPT SUNDAY

THERE ARE 13659 PAYPHONES ON NYC SIDEWALKS

EVEN THOUGH THERE ARE OVER 17 MILLION CELL PHONES

IS THE PAY PHONE AN
ANACHRONISM OR AN OPPORTUNITY...

都市改善ブース

「公衆電話に興味があるんだ。時代遅れでありふれているのがいい」とアーティストのジョン・ロックは言う。彼の「都市改善活動」は、ニューヨーク市の電話ブースがミニ図書館として再利用できることを示すものだ。彼は人々が行き交う場所で、現在も使われている電話ブースに本棚を設置している。

IN PURSUIT OF MAGI

鏡の国のアリス

ミラー・ライブラリーはニューヨーク市内を移動している。ユニオン・スクエア、ウォール・ストリートの道路標識、セントラルパークの木などに「出没」する。

KNIHO
BUDKA

チェコのブック・ブース

プラハの至る所にある電話ブースを改造したもの。ブースの外装はひとつひとつ異なる。初期のデザインはフェイスブック上で募集した。ブースに合わせて作ったベンチが中に置いてある。製作したのはこのプロジェクトの発起人モニカ・セルブソヴァとパーヴェル・ゼレズニー（右）で、ブースを訪れた人は本を借りるだけではなく、座って読書を楽しむこともできる。

4
大きな
図書館

本書に収められている図書館のほとんどは手頃でコンパクトな大きさだが、煉瓦としっくい造りの大型図書館も思いがけない方向に進化している。大学図書館、美術館所蔵の本、公立図書館いずれも、もはやギリシア風の円柱が立ち並ぶ荘厳な建物とは限らず、画一的で機能性のみを追求した箱のような建物ばかりでもない。思いがけない特徴や、さまざまな新しい機能を備えた創意に満ちた建物が増えつつある。

そうした画期的な大型図書館の多くに共通するのは、見た目がおよそ図書館らしくないという点だ。たとえばドイツのルッケンヴァルデには、かつての鉄道駅を作り替えた図書館がある。使われなくなり、荒れ果てていた駅が町の公立図書館としてすっかり生まれ変わったのだ。傾いた長方形の別館は外壁が金色で、天気による光の反射具合で見た目が異なる。この建物は町の中心部の活性化におおいに役立ち、図書館として多くの人々を惹きつけている。

スコットランドのアバディーン大学図書館は10階建てで、やはり光と戯れるような建物だ。設計したシュミット・ハンマー・ラッセン建築事務所によると、「昼はきらめき、夜は柔らかな光を放ち、アバディーンの輝く目印となる」ものにしたかったという。不規則に並べた断熱パネルと高性能の艶出し加工を駆使した建物は、まさに建築家たちがめざしていたものとなった。

光との戯れは、オランダのメカノー社が設計したバーミンガム図書館でもテーマになっている。図書館の外壁は透明ガラスで、金線細工を思わせる複雑に絡み合った金属製の輪で装飾をほどこされている。

逆に、光を意識しない方向に向かったのはカンザス市中央図書館だ。2004年に「街の本棚」と呼ばれる装飾が外壁にほどこされた。駐車場の南壁に沿って22冊の巨大な本の背表紙が並んでいて、窓はほとんどないものの、とても温かみが感じられる。ひとつの大きさは7.5×3メートル程度、タイトルはカンザス市民の声をもとに選ばれ、ジョーゼフ・ヘラーの『キャッチ＝22』、ドクター・スースの『みどりいろのたまごとハム』（未邦訳）、レイチェル・カーソンの『沈黙の春』、レイ・ブラッドベリの『華氏451度』も含まれている。

このような新しい大型図書館は、内部もやはり画期的で大胆なデザインとなっている。アバディーン大学図書館を吹き抜けから見上げると、各階が非対称的に重なりつつ巨大な中央天窓へと斜めに上がっていくという印象的な作りで、伝統的な建築要素にめまいを覚えるような遊び心を加えている。建築評論家ジョナサン・グランシーはこれを「建築上のつむじ風」と名づけた。下から見上げると、中をくりぬいた氷山のように思える。

同様に、内部の作りが図書館とは思えないのが日本の成蹊大学図書館だ。建築家の坂茂(ばんしげる)が設計したこの図書館には、透明な球体型の「プラネット」が中央アトリウムに浮かんでいる、というより正確には、円柱の上に取りつけられている。静かに勉強したい人を邪魔することなく、図書館利用者に活発な討論の場を与えるのが目的だ。

建築家の藤本壮介が設計した武蔵野美術大学図書館は、渦巻き状に配置された書架が果てしなく続くように見える点が特徴で、「本の森」と称されている。木製の書架がいくつも立ち並び、その棚の多くはわざと空のままにしてある。建物の外壁全体を覆っているのはガラスで、書架の連なりは道行く人々にも見える。

新たに作られる図書館では、内と外との区別がますます曖昧になっている。建築会社カロの設計による屋外図書館が旧東ドイツのマクデブルクに作られたのは2005年だった。共産党時代には町の中心部として栄え、地区図書館があった場所だ。屋外図書館は最初から「町の彫像」とすべく計画され、ビール用の箱を使って1:1模型が作られた。デザインを決定する過程から町の住民も参加し、図書館の本は住民からの寄付でまかなわれることになった。こうしてできあがった屋外図書館は中央の緑地帯の三方を取り囲むもので、座って楽しいベンチにもなれば、雨風をしのぐ場にもなり、コンサートや詩の朗読会、読書会の場にもなる。ガラス扉のついた棚に収められた本は今や2万冊を超え、24時間いつでも利用できる。

成蹊大学図書館の中央アトリウムに浮かぶ超モダンな「プラネット」は防音設備が整っている。学生同士での議論を奨励するために設けられた。

内と外の両要素を備えた大型の公立図書館の例としてもうひとつ、ブルンジ北部の町ムインガの子ども図書館が挙げられる。設計したのはベルギーのBCアーキテクツだ。この図書館は現場で調達できる素材で作られている。壁は土を押し固めて作った手製のブロック、屋根と床のタイルは焼成粘土、屋根の骨組みは地元のユーカリ、ロープは地元で収穫したサイザル麻だ。建物の正面には広々とした屋根つきポーチがある。内と外の中間と言えるこのポーチはブルンジの伝統的な家屋では一般的に見られ、強い雨や日差しを避ける場としても、人々が語らう社交の場としても活用されている。メインの閲覧室にはサイザル麻のロープで編んだ巨大なハンモックが天井から吊り下げられ、中二階の役割を果たしている。この図書館は耳の不自由な子どもたちが社会に溶け込めるよう後押しし、ゆくゆくはそうした子どもたちのための寄宿学校の一部となることをめざして建てられた。

まったく異なる形で内と外の融合を図っているのは、シンガポール中央図書館の子ども用エリア「マイ・ツリー・ハウス」だ。子どもたちに環境保護への関心を持たせるため、環境に優しい建築素材がスペース全体に使われ、作り物の木々が飾られている。中央には巨大な「ツリー・ハウス」がそびえ、その樹冠はリサイクルした3000本以上のペットボトルで作られている。蔵書4万5000冊の約3分の1は動物、植物、自然、水資源、気候、生態系、リサイクル、気候変動といった環境関連の本だ。また、環境保護に関する電子書籍も利用できる。

「現代の図書館はもはや本を所蔵するだけの場ではありません」。建設会社メカノー社のフランシーヌ・ホウベンは、バーミンガム図書館館長ブライアン・ギャンブルズが熱を込めて最初に語った言葉を教えてくれた。ギャンブルズは「大型の中央図書館は今や伝統にとらわれず、さまざまなサービスや場を提供する」とも言っていた。バーミンガム図書館は100万冊を超える蔵書を抱えるほか、建物にはハーブ・ガーデン、展示ホール、医療センター、劇場まで入っている。しかも、所蔵物の一部はもはや紙書籍や印刷物が中心ではなくなっており、そのことが保管や閲覧エリアのデザインに反映されている。

紙書籍以外の資料に合わせたデザインとして特筆すべきはナム・ジュン・パイク図書館だ。大韓民国の龍仁（ヨンイン）市にあるナム・ジュン・パイク・アートセンターの一部で、ここに保管されているのは映像資料が中心であるため、閲覧用のスクリーンが多数あるほか、紙書籍用の棚や机も置かれている。各ユニットはポリカーボネート製で、亜鉛めっき鋼の棚に取りつけられている。分解して建物内の別のエリアや屋外に運ぶことも可能だ。この図書館を設計したのはNHDM社のナヒョン・ファンとデイヴィッド・ユージン・ムーンで、韓国のビデオ・アートの草分けであるナム・ジュン・パイクの作品を生かせるよう力を尽くした。「ナム・ジュン・パイクの芸術的プロセスに触発され、多機能空間装置を作ろうと思い立ちました。それによって図書館利用者と情報との関係を再定義できればと思っています」と2人は説明する。現代の通信を言い表す「電子スーパーハイウェー」という言葉は、おそらくナム・ジュン・パイクが最初に使い始めたと思われる。1970年代半ば頃だ。ますますオンライン化の進む21世紀に、大型図書館はこれからどのように進化していくのだろうか。彼の名を冠した図書館はその道筋を示す好例になると思われる。

ライブラリー・ステーション

ドイツのルッケンヴァルデでは、かつての駅舎に新たな建物が増築された。銅アルミニウム合金の板で覆われ、金色に輝くその建物は図書館になっている。建築家の狙いは、抽象芸術作品としての公共図書館を作り、さびれた街に新たな活気をもたらすことにある。

図書館内には子ども用のエリアがあり、
カラフルで心地よい作りになっている。

fatboy

未来の図書館

大韓民国の龍仁市にあるナム・ジュン・パイクの斬新なビデオライブラリーは、煉瓦としっくいでできた建物に本の詰まった書架が何列も並んでいるという従来の図書館が、ここまで進化できるのだと見せつける。利用者も図書館との新たな関わり方を迫られる。

SPACE

変化を受け入れる図書館

ドイツのマクデブルクにある屋外型の公共図書館は、廃館となった地区図書館の跡地に建てられた。24時間利用でき、登録は必要なく、利用者の善意を信頼する形で運営されている。白い外壁はデパート「ホルテン」のモダンな倉庫（1966年、ハム市に建設）からリサイクルしたものだ。外壁の内側には座席とパフォーマンス用ステージが設置されている。

BT

宮殿のような公立図書館

「みんなのための宮殿を作るのが私たちの夢なんです」。バーミンガム図書館を設計した建設会社メカノーの建築家フランシーヌ・ホウベンは言う。センテナリー・スクエアにあるこの宮殿は面積3万5000平方メートル、ガラスと金属を組み合わせた建物で地階が広々としている。図書館の他に医療センター、展示ホール、カフェ、ラウンジ、そして隣接する劇場と共有のホール（300席）も入っている。

建物外部の複雑な模様は読書エリアに影を投げかけ、時間の経過とともに影の形が変わっていく。視界を遮ることなく、バーミンガムの街や空がしっかり見渡せる。

建物全体に使われている主な素材は天然石、白いセラミックのフローリング、オーク材、ガラス、金属で、色はメカノー社のテーマカラーであるメカノー・ブルーと金だ。環境効率を考え、建物には排水システムと地熱ヒートポンプが備わっている。

地階には座り心地のよい椅子があり、思わず座って本を読みたくなる。地表より低い位置に作られた円形広場から自然光がふんだんに入ってくる。円形広場はパフォーマンス用のステージとして設けられた。

2
KNOWLEDGE FLOOR

バーミンガム図書館は「普遍性、無限性、一貫性、そして時を超越したものを具現化する原型としての円への頌歌だ」とホウベンは言う。円形の建物（左頁）は利用者が館内を巡るのに重要な役割を果たし、自然光を取り入れやすく、換気にもすぐれている。屋上の円形の間はシェークスピア記念室（右）で、初代バーミンガム中央図書館にあった木材パネルを使い、ビクトリア朝の閲覧室といった風情になっている。

構造要素としての書架

床から天井まで届く書架にはまだ空白が目立っている。この本棚は間仕切りとして、また建物の構造要素としても役割を果たしている。ここは東京の武蔵野美術大学図書館で、いくつもある閲覧室は歩道橋でつながっている。設計者の藤本壮介は「シンプル」な図書館をめざしたと言う。

地元の素材を生かした図書館

アフリカ中部ブルンジのムインガ地区には、耳の不自由な子どもたちのための図書館がある。地元産の建築素材が使われ、たとえば土を押し固めた煉瓦は地元の建設現場で作られたものだ。床が階段状に上がっているため、熱く湿った空気をたえず外に逃がすことができる。

この図書館のすばらしい特徴のひとつに、地元で採れるサイザル麻のロープを使った手編みのハンモックが挙げられる。図書館建設プロジェクトを推し進める中で、このような地元産業がいくつも開花した。ムインガ地区には伝統的なロープ作りの名人がいて、建設現場の作業員がその作り方を教わったところ、彼らはその技術を使って生計を立てるようになった。

マイ・ツリー・ハウス

シンガポールの子ども図書館「マイ・ツリー・ハウス」は環境問題を重視した作りになっている。森をテーマにした小説を数多く所蔵し、シンガポール気象庁が提供するリアルタイムの気象図を示すディスプレイもある。

MAGICKEEPERS

壮大なデザイン

スコットランドのアバディーン大学図書館は、長期的な維持費やエネルギー消費を最小限に抑えるための工夫を凝らした作りになっている。設計した建築家によると、外装には断熱パネルを不規則に並べ、高性能ガラスを使用して「昼はきらめき、夜は柔らかな光を放つ」ようにしたという。この輝くランドマークの内部は非対称的な階が重なり、吹き抜けから見上げるとめまいを覚えるくらいだ。

学生1万4000人を収容でき、所蔵文献は25万冊を超える。フロア総面積は1万5500平方メートル、そのうち閲覧エリアは1200平方メートルで、他に公文書、歴史的なコレクション、そして希少本の閲覧室もある。

CATCH-22
JOSEPH
CHILDREN'S STORIES
GOODNIGHT MOON
HAROLD AND THE PURPLE CRAYON
WINNIE THE POOH
GREEN EGGS AND HAM
WHAT A WONDERFUL WORLD
LITTLE HOUSE ON THE PRAIRIE
THE WONDERFUL WIZARD OF OZ
M.C. HIGGINS THE GREAT
SILENT SPRING
Rachel Carson
O PIONEERS!
Willa Cather
Cien Años de Soledad
Their Eyes Were Watching God
Zora Neale Hurston
FAHRENHEIT 451
RAY BRADBURY
PLATO
THE REPUBLIC
THE ADVENTURES OF HUCKLEBERRY FINN
MARK TWAIN
INVISIBLE MAN

本が並ぶ街

カンザス市中央図書館の駐車場の外壁は、巨大な本の背表紙で飾られている。プレキャストコンクリート・パネルとアルミニウム製の土台の上に看板用マイラー〔ポリエステルの薄膜〕をかぶせたものだ。地元の利用者の声をもとに22タイトルが選ばれた。

5
ホーム ライブラリー

自宅の蔵書ほど個人的なライブラリーはない。本を一室に収めるだけではなく、最近では家の中のいろいろな空間を本の置き場として利用する動きも出始めている。独創的な本棚や本箱が次々に登場し、蔵書を家のあちこちで、魅力的に展示することができるようになった。だが、厳かな雰囲気のある昔の家のように、ホームライブラリー専用の空間を持つというのも非常にロマンチックで豊かな気持ちになれるものだ。

家の片隅にではなく中央にライブラリーを設けることをキーコンセプトとしているのは韓国の建築家集団ムーン・フーン社だ。忠清北道に住む教師の夫妻とその子どもたち4人のために3階建のパノラマハウスを設計した。子どもたちが遊び、本に親しみ、勉強できる家という考えのもと、下の階は主に子ども用、上の階は大人用とし、家の中心は多機能空間として階段、本棚、そして滑り台まで組み込んである。

子どもが楽しく読書できる空間を作るというのは、マドリードに拠点を置くプレイオフィス社の読書用ネットも同じだ。デザイナーのホセ・カルロス・フランシスコ・バエサと妻ジュディスが経営するこの会社が開発したネットとは、マドリードの家にある伝統的なライブラリーの2階と1階の間の空間にメッシュ状の生地を張ったもので、その上でくつろいだり読書をしたりできる。「問題はその家の構造物や装飾に傷をつけず、子どもたちが遊ぼうと思えるような空間を作り出すことだったの。こういう制約があったから、子どもたちを“浮かせる”ことにしたわ」とジュディス・バエサは言う。

木のパネルを使い、荘厳な雰囲気をたたえたモスクワにある典型的なホームライブラリー。現在はモプーシキン・カフェという名のカフェになっている。

テキサス州オースティンには高さ3階分、12メートルものホームライブラリーがある。白く彩られ、ここが家の下層部分にとっての光井（光の井戸）の役割も果たしている。鋼鉄製の棚は粉体塗装され、頻繁に読む本は隣接する階段や踊り場から取り出せるが、もっと高い位置にある本は、建設現場でよく見かけるタイプのボースン・チェア（チェーンで吊り下げる）を使わないと届かない。このチェアはリモコンで上下に移動できる。設計したのは家具デザイナーのサリー・トラウトと建築会社KRDBだ。もうひとつ、アメリカの斬新なホームライブラリーを紹介したい。ワシントンDC在住の人類学者・作家のウェイド・デイヴィスの書き物用スペースとして、トラヴィス・プライスが設計したものだ。本は5メートルのドーム内に収められ、手に取るには梯子を使わなければならない。ドームの天井の中央に天窓がひとつあるだけで、この書斎には他に窓がなく、修道院の小部屋を思わせる。外が見えないほうが集中力を高められるから、とデイヴィスが注文をつけたのだ。

今日のホームライブラリーは読書のための聖域であり、家の中で最も混沌からほど遠く、テーマが統一された空間である。その一例として、曲線の美しさがきわだつティー・ハウスが挙げられよう。上海創盟国際建築設計有限公司の本社裏にあり、倒壊した倉庫の屋根を一部利用している。落ち着いた雰囲気ながら生活感があまりないスペースで、最も目を引くのは1本の大きな木だ。幹はバルコニーに組み込まれ、斜めに作られた窓の向こうに伸びる枝はライブラリーの一部となっているように見え、思わず見つめてしまう。

従来のホームライブラリーは家の中にある居心地のよい場だった。それが今では居住空間から少し離れる傾向がある。1部屋分を増築したり屋根裏を改築したりするのではなく、裏庭などに小さな建物を新たに作ってライブラリーとするのだ。たとえば、イギリスのサードスペース社が作るライブラリーはすばやく組み立てられ、完全に分解できるため、将来引っ越すことになっても持ち運びできる。設置場所での組み立てに要する日数は、ヴィツゥ〔イギリスの家具会社〕の棚を壁に取りつける作業も含めてわずか5日だ。日本のデザインスタジオnendoが伊豆諸島式根島に建てた木の「絵本の家」も、本棚を壁に取りつける点は同じだ。

このような独立型ガーデンライブラリーは、2階建てかそれ以上でも凝った作りにすることができる。チェコ共和国のザドニー・トジェバニに建てられた木のガーデンライブラリーはMjölk Architekti社が設計したもので、本と読書室（暖炉つきだ!）は1階に、寝室は2階となっている。星空を眺められるよう、屋根は開閉できる。これと正反対なのはデンマークの建築会社ドルテ・マンドラップが設計した「読書のための巣」だ。木造の美しい建物は床面積10平方メートル足らずの小さなものだが、巧みな設計により本棚も作業テーブルもベッドも置ける。こうした画期的な設計のおかげで、自分だけのホームライブラリーを持てるだけでなく、ライブラリーをセカンドハウスのように使うことも可能になったのだ。

CHINA
THE ENDLESS CITY
PLAN ATLAS
COLLECTION
COLLECTION

ティー・ハウスのツリー・ハウス

上海創盟国際建築設計有限公司の本社裏庭にある私邸「ティー・ハウス」の2階には図書室があり、1本の木を取り囲むように三角形のバルコニーが作られている。斜めになった窓は木の枝の張り出し具合と美しく調和している。

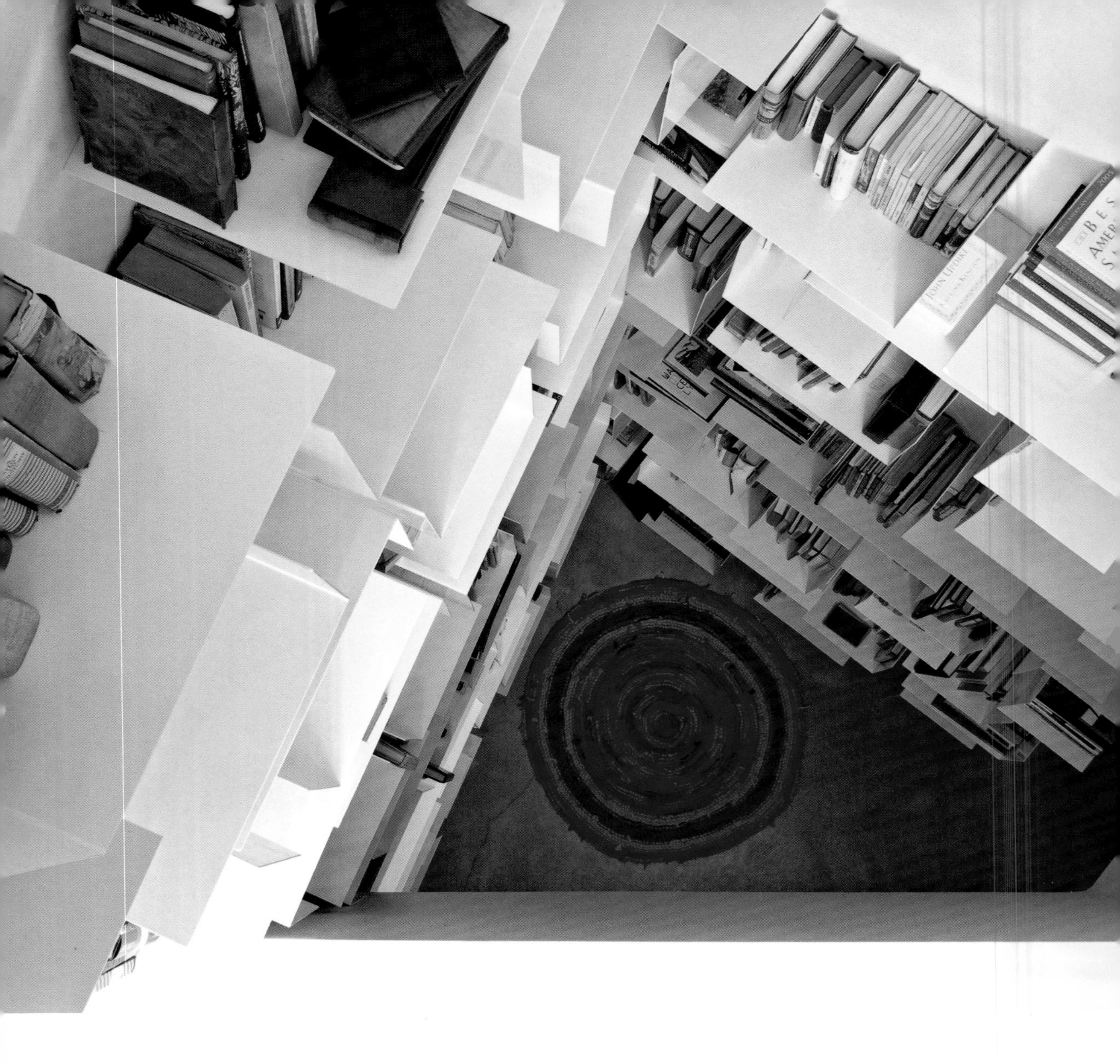
JOHN UPDIKE

空間を埋める本

遊び心のある独創的な空間の使い方をしているのは家具デザイナー、サリー・トラウトが設計したテキサスにある個人宅のライブラリーだ。空間を囲む本棚の上段はボースンチェア〔船のマストに上るときなどに使う〕を使わないと届かない。

リード・アンド・スライド

大韓民国のムーン・フーン社が設計したホームライブラリー。段になったところに腰かけることもでき、滑り台もついている。建築家によると、滑り台は子どもだけでなく親も楽しんで使っているそうだ。並んでいる本は階段の裏側からも取り出せる。

¿QUÉ ES UNA ARAÑA?
HORIZONS
China

読書用ネット

マドリードのデザイン会社プレイオフィスが開発した読書用ネットは、ウッドパネルを使った伝統的なホームライブラリーの2階の手すりにロープで結びつけるだけで利用できる。ドリルで穴を開けることもなく、ねじをつける必要もない。開発者たちは「とてもまじめな遊具」だと言っている。

本の聖堂

ワシントンDC在住の作家ウェイド・デイヴィスのために設計されたホームライブラリー。設計者トラヴィス・プライスはこう語る。「彼にとって最も意味のある本を常に頭の上に置いておこう、とまず考えた。他の誰のものでもない彼だけの抒情詩のように、本が頭の上にも頭の中にも浮かんでいる、そんな状態を作りたかった。上部のドームはトロス(円形構造物)で、妊娠した女性の子宮の形をしている。デルフォイの神殿の円形建物と似ているんだ」

読書のための巣

建築会社ドルテ・マンドラップはデンマークのシーランドにある別荘の裏庭に「読書のための巣」を設計した。小さな巣だが、テーブルとシングルベッド、そして壁の一面に本棚があり、ここで仕事も昼寝もできる。室内にはワックスをかけた樺材の合板が、巣の外側にはベイスギが使われている。

絵本の家

日本のデザインスタジオnendoが設計したガーデンライブラリー「絵本の家」。本棚の背板は半透明なので、昼間は室内に光が射しこみ、夜には室内の明かりが外に漏れる。雨戸を開けると気軽に立ち寄れる図書館となる。悪天候から本を守るガラスの引き戸もついている。

星空の下で読書を

チェコ共和国のザドニー・トジェバニにある2階建てのガーデンライブラリー。建築会社Mjölk Architektiが設計したこの建物には数種類の木材や合板が使われ、外側はグラスファイバーで覆われている。いちばんの特徴は屋根だ。日光浴がしたいときや星を見たいときに開けることができる。

室内は風通しがよくリラックスできる。中央ボヘミア地方の豊かな自然の中に建てられているため、どの窓からもすばらしい景色が楽しめる。

本棚が建物の基本的な枠組みを兼ね、建物全体を安定させている。1階にはこぢんまりとした薪ストーブがあり、寒い日には心地よいぬくもりが楽しめる。

KUTNÁ HORA

プレハブ型ライブラリー

イギリスの会社サードスペースが設計したプレハブ型のライブラリー。オックスフォードシャー在住の文学部教授の自宅の庭に建てられた。室内には白塗りの樺材合板が、建物の外側は黒のサーモウッドが使われている。現代の断熱技術を駆使しているため、室温は快適だ。

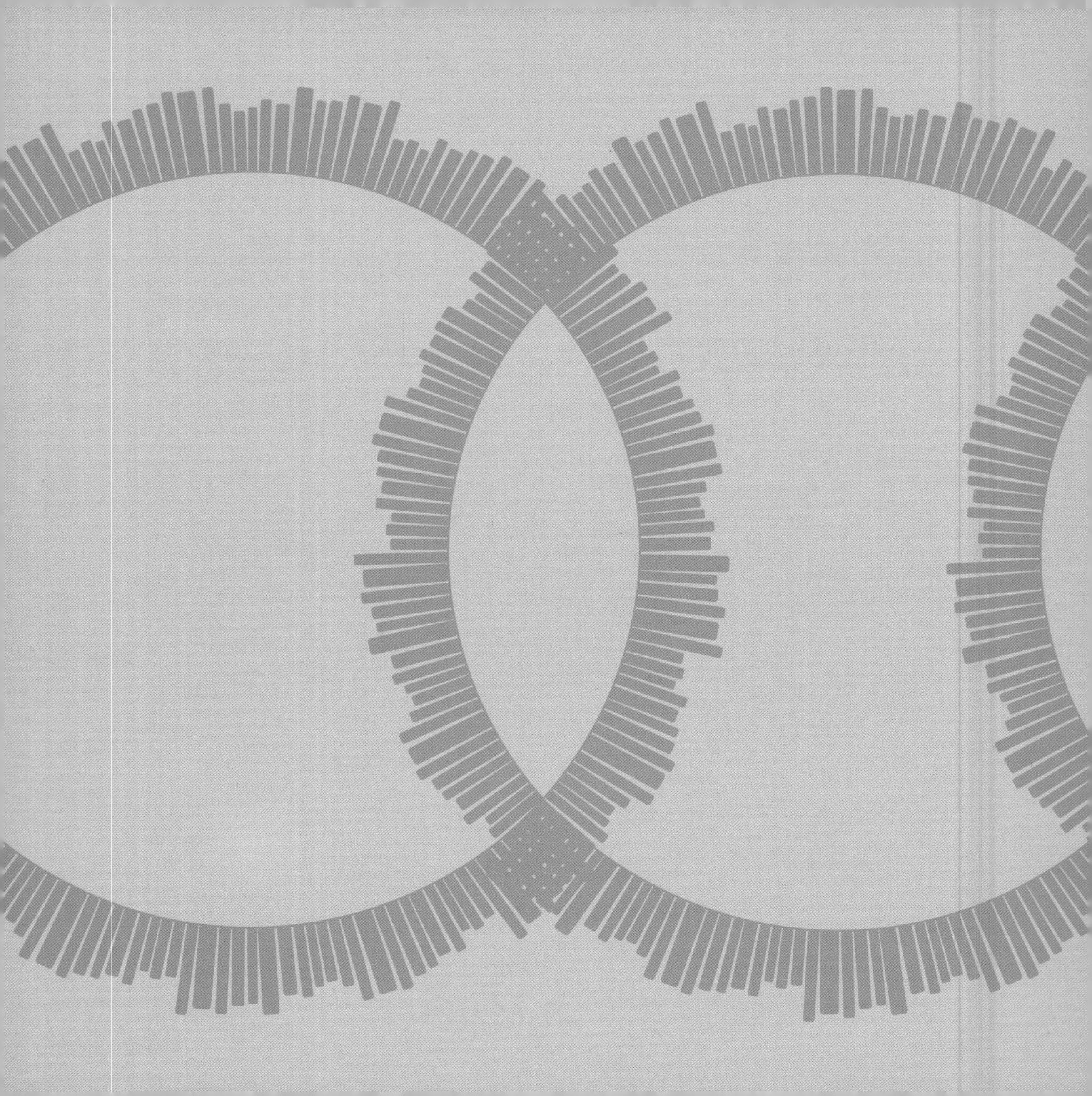

6
移動する図書館

車や鉄道、船を使ったり、または徒歩で本を運ぶ移動図書館は何百年も前から存在していた。たとえばアメリカの南東部6州では、1898年から1955年にかけて「シーボード・エアライン鉄道ライブラリー・システム」の一環として「貸出図書館」ボックスが使われていた。同じコンセプトの21世紀版は、アジアリンクス・アーツが2012年に創設した「本屋(ブックワーラー)」プロジェクト、つまり著作家国際巡回展だ。5人の作家がオーストラリアとインド南部を列車で巡るもので、彼らはカンガルーの革を使った6個の特製ケースに何百冊もの本を詰めて運ぶ。ムンバイの国立舞台芸術センターからチェンナイ中央駅の9番線まで、さまざまな場所でケースを組み立て、文学について語り、通行人と本について話し合い、運んできた本を地元の図書館に少しずつ寄付していく。

ニューヨーク市のユニ・プロジェクトは地元の移動図書館プログラムとして最大の部類に入る。広場や公園など、市内の公共の場に屋外型読書室を一時的に設置するというものだ。創始者のサム・ダヴォールと妻レスリーがクラウドファンディングを利用して初めてユニ読書室を始めたのは2011年だった。その後、この読書室は特に市内の公共の場や公立図書館のサービスが不十分な区域を中心に、たびたび出現するようになった(貸出は行われていない)。また、ユニ読書室用キットも世界中に輸出されている。ユニ・プロジェクトの目的は、本の好きな地元の人々が臨時図書館のすぐそばで一緒に読書を楽しむことで、主催者は短編小説や美術本、詩集、絵本など、すぐに目を通せるものを選んでいる。個人や地元組織が選ぶ場合もあり、たとえばアップライズ・ブックス・プロジェクトが選ぶ本はかつてアメリカで発禁となっていたものだ。モーリス・センダックの『まよなかのだいどころ』、ドクター・スースの『ロラックス』なども含まれている。

ノルウェーの西海岸を巡回する図書館船エポス号は、もう50年以上も活躍している。3つの郡立図書館が共同出資したこの船は全長26メートル、約6000冊を所蔵し、秋から冬にかけて150カ所ほどの辺鄙な沿岸地域を定期的に巡回し、夏には観光船として活躍している。また、フィンランドのパルガスでも同じような水上図書館サービスが1976年から行われている。海難救助船を転用しているため、海で緊急事態が発生すればいつでも救助活動が可能だ。

移動図書館に使われる船は形も大きさもさまざまだ。アメリカ人アーティストのサラ・ピーターズは、ミネソタ州ミネアポリス郊外にある波の静かなシダー湖に特注の小さないかだを浮かべて図書館にした。乗せている本は100冊前後と少ないが、カヤックやカヌーで水上に出ている人なら誰でも利用できる。もちろん、浮き輪を使っている人も、泳ぎに自信のある人もだ。「湖は個人のレクリエーションの場として活用されていますが、皆で一緒に社会活動をするという機会はほとんどありません」。だからピーターズは図書館を開こうと思ったという。利用者はカヌー等をいかだに横付けし、自分の乗り物に乗ったまま本の棚を見る。貸出は利用者の誠意を信じるやり方で、返却はいかだに戻すか湖畔の返却用ボックスに入れる。雪男、エントロピー、雑草、アラスカ横断パイプラインなど、本の内容はじつに多岐にわたっている。

ラオスの田舎では、コミュニティ・ラーニング・インターナショナル（CLI）が本の船3隻を運営し、メコン川やオウ川流域に点在する何十もの村々の子どもたち約1万人に本を届けている。どこも水路でしか行けない村ばかりだ。各船とも1000冊前後のラオ語の本を乗せ、本は一晩借りて翌朝の船の出港までに返却する。「ここには本というものがありません。問題集、読み物、ノート、マニュアル、何一つないのです」。CLI開発部長アレクサンダー・ロブ＝ミラーは、ラオ語の本を届ける重要性について語る。本の多くはCLIが子どもたちの読み書き能力を高めるために製作したもので、人形芝居や朗読会なども併せて実施している。さらに、100冊ほどを入れた「本の袋」を船やその他の乗り物で田舎の学校に届けてもいる。「本の袋」は定期的に学校間で巡回させている。19世紀のアメリカでは、灯台守の家族のために同様のシステムで本の箱を巡回させていた。

図書館船はバングラデシュでも成功している。NPO団体シュデライ・スワニバル・サングッサはチャラン・ビール地区の水路で100隻ほどのボートを運営し、住民10万人に医療・教育サービスを提供している。このうち10隻は完全装備の図書館船で、太

孤立して暮らしている灯台守とその家族のために、全米灯台協会は1876年から移動図書館を開始した。持ち運びできる木箱には50冊ほどが入れられ、番号がふってあり、4カ月ごとに灯台間を巡回していた。

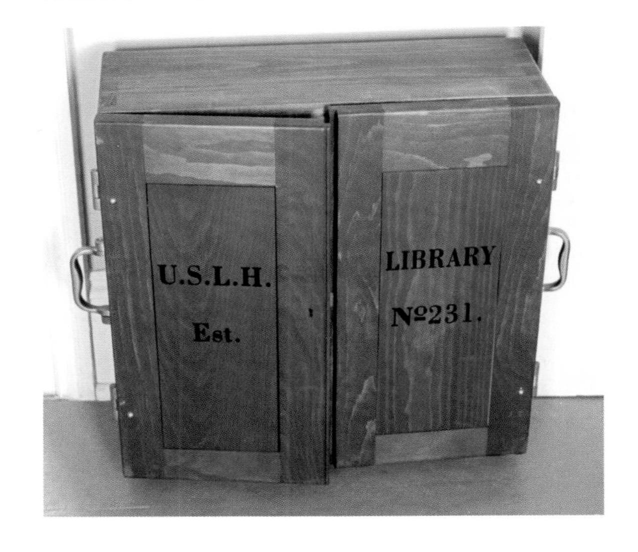

陽光発電を利用した無線インターネットも使える。また、学校用の20隻にも小規模ながら本が積載されている。このようなボートは雨季に対処するためにこの国で作られる伝統的なノカという舟を改良したものだ。

自転車を使った移動図書館は世界中で次々と誕生している。ペダルを踏んで地域の人々に本を届けるという図書館サービスは数多く、シアトルの「ブックス・オン・バイクス」もそのひとつだ。チームは11人の司書で構成され、自転車が牽引するアルミ製トレーラーは中型トランクほどの大きさで、本を100冊入れられる。本が雨に濡れないよう傘をさすホルダーまでついている。本は地域の主要図書館の蔵書で、返却は図書館に限られる。自転車では重量の問題があるからだ。

アリゾナ州トゥーソンでは、ピマ郡立図書館が同様のプロジェクトを展開している。三輪自転車の前面に大きな箱が取りつけられ、箱を開けると数百冊を収めた本棚となる。「私たちはこのブックバイクでいろいろな場所に行き、本や図書館カードを配り、図書館のプログラムや読み書き能力を高めるプロジェクトに関する情報、そしてバイクの行先を示した地図やブックバイク・プログラムについての情報も提供しています」と、このプロジェクトを運営する司書カレン・グリーンは言う。ブックバイクの開始1年目はボランティアが400キロを走り、寄付された本や図書館の放出本1万1276冊を配った。

ブラジルで自転車図書館を始めたロブソン・メンドンサは人々に読書を勧めようと、サンパウロ市内で三輪自転車のペダルをこいでいる。彼の試みは特に路上生活者の役に立っている。本を借りるのに身分証明書も住所を証明する書類も必要ないからだ。彼の自転車図書館は太陽光発電を利用してインターネットにアクセスもできる。開業からわずか1年で非営利組織インスティトゥート・ダ・モビリダデがスポンサーとなり、おかげで10万7000冊以上を貸し出すことができた。点字の本も多く含まれている。オレゴン州ポートランドでも、自転車を使った同様の取り組みがホームレスのために提供されている。

アルゼンチンの活動家兼アーティスト、ラウル・レメソフの「大量知識兵器」は一般的な移動図書館とは言えないだろう。彼は1979年式フォード・ファルコンを本棚で覆われた戦車に見えるよう改造し、ブエノスアイレスや他の国内都市を回っては装備した900冊を通行人に配っている。フォード・ファルコンに新たな目的を与えたという点が大きな意味を持つ。というのも、かつての軍部独裁時代に軍が使用していた車だからだ。人々に抑圧と暴力をもたらしていた車が、今や個人から寄付されるありとあらゆるジャンルの本を人々にもたらしている。

もうひとつ変わった例として、アメリカ人起業家ブリュースター・カールがかつて行っていた「インターネット・アーカイブ・ブックモービル」が挙げられよう。オンデマンド印刷を提供するもので、ブックモービルが停車する国内どこでも、オンラインで利用できる著作権の切れた本にアクセスし、ダウンロードして印刷できた（印刷の質は驚くほどよかった）。

まさかと思われる車が移動図書館として利用されているケースは、世界にいくつもある。最も興味深いもののひとつがメキシコの移動図書館A47プロジェクトだ。非営利団体の学童協会47が開発したプロジェクトで、建築会社プロドゥクトーラが大型のコンテナトラックを車輪付きの豪華な図書館に改造した。壁面上部をぐるりと本棚が取り囲むコンテナの両側を開けると、風通しのよい閲覧室となる。このトラックではワークショップ、レクチャー、映画上映、本のプレゼンテーション、朗読会なども行われている。

海辺で読書というのは伝統的な休暇の過ごし方だが、海辺に出現する移動図書館が増えているということは、もはや自分の大事なプルーストを砂まみれにする危険がないということだ。バルセロナの近く、カステルデフェルスでは夏になると海辺に移動図書館が現れる。スペインにはそういう場所が多い。海浜公園パルケ・デル・マルの遊歩道に出現する地元の移動図書館は1992年から活動しており、本の他に雑誌、DVD、CDも扱い、子ども向けに読書を中心とした活動も行っている。夏のスペインではプール図書館「ビブリオピスシーナス」も人気があり、オランダの海辺には半永久的な図書館もある。

テルアビブ北部のビーチに夏の間だけやって来る色鮮やかな図書館は、ヘブライ語、英語、ロシア語、アラビア語、フランス語の本500冊以上を提供している。他のほとんどのビーチ・ライブラリーと同様に、ここでも図書館カードは必要なく、借りる際に面倒な手続きもない。この図書館を支援しているのは市の文化部で、本をもっと広く利用できるようにするのが目標だと発表している。

移動図書館の最も基本的な形は徒歩で運ぶものだ。ネパールのドコ・ダイ移動図書館は人力に依存している。藤製のかごに本を入れ、車などでは行けない山間部の村に徒歩で運ぶのだ。コロンビアのサバネタでは、ジョン・フレディ・サラザールが手押し車による本の宅配（ビブリオカレーラと呼ばれる）を行っている。雨降りのときは手押し車を戸口に突っこめるよう、本の大きさを慎重に計算している。「我々の目的は、地元住民の教養を高める手助けをするというシンプルなものだ」と地元図書館の司書でプロジェクトリーダーのオスワルド・グティエレスは言う。この目的のもと、ビブリオカレーラは刑務所、病院、老人ホームにも訪れ、日曜日には公園で本を提供している。

本を求める人がいる限り、仕事熱心な司書たちはこれからも配達方法を考え、地理的な問題もインフラの不備も乗り越えて、世界のどこへでも本を配達し続けるだろう。

入院患者用の移動図書館は20世紀前半には人気があった。まだ幼いリューマチ患者が車輪のついた図書ボックスから本を選んでいるこの写真は1943年、アメリカの子ども病院で撮影された。

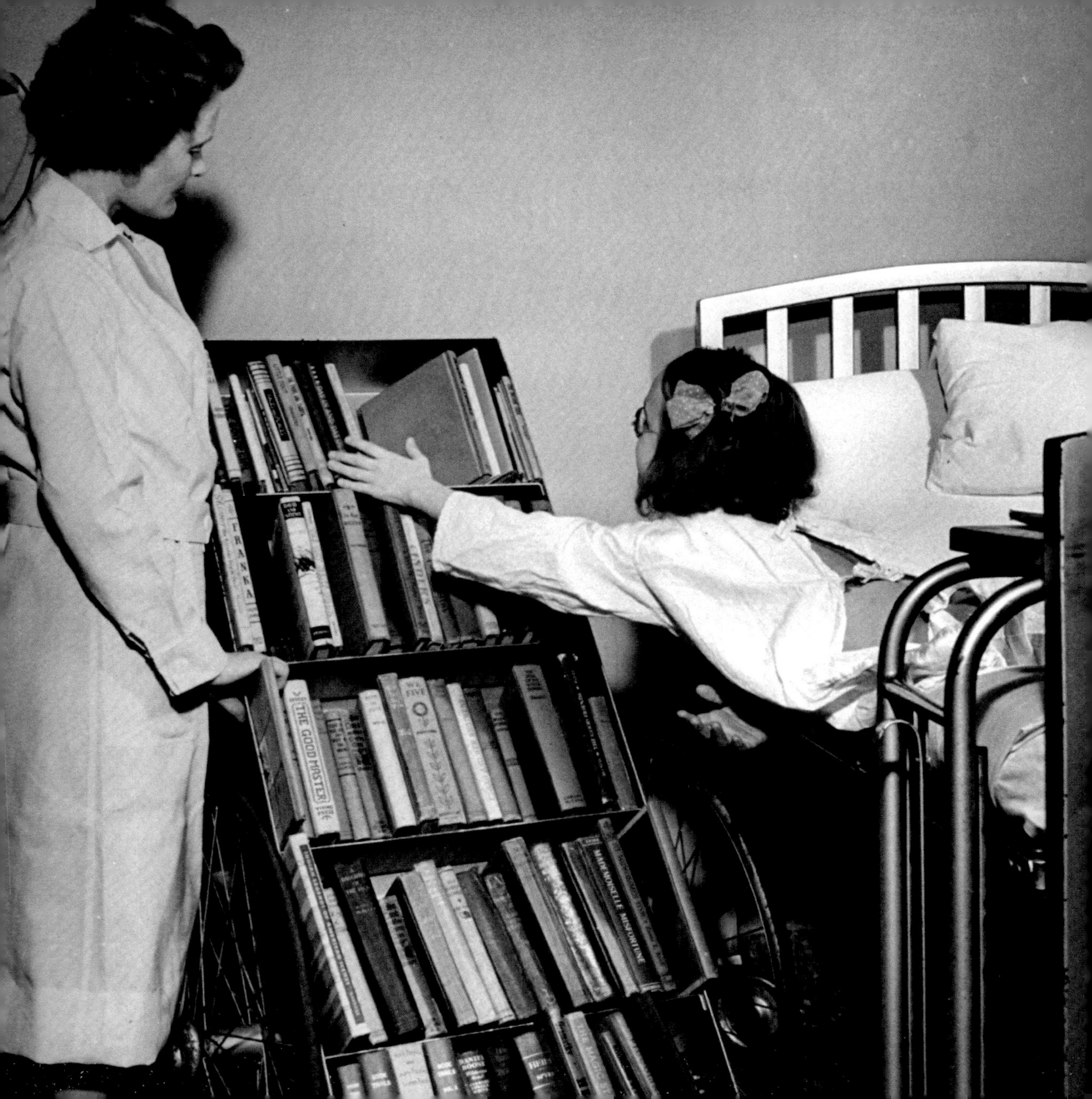
THE GOOD MASTER
FIVE
MADEMOISELLE MISFORTUNE

ライブラリー・ケース

2012年、アジアリンク・アーツ第1回著作家国際巡回展がインドで開催された。オーストラリアから参加した作家たちは4分の1トンもの本を抱えて移動しなければならず、そのために旅行用ライブラリー・ケースが作られた。カンガルーの革や熱帯造林木などオーストラリアの素材を使ったケースは、インド各地を巡る過酷な列車の旅にも耐えられる頑丈な作りで、蓋を開ければ小さな図書館に早変わりした。

IN MEMORIAM
CUCKOLD
EVERYDAY LIFE IN A PRISON
MOHANDAS
INDIA

Ippississim
Boats
An
ART
BOAT

本のいかだ

サラ・ピータースが始めた図書館はミネソタ州ミネアポリスのシダー湖に浮かんでいる。カヌーなどで立ち寄れる人なら誰でも利用できる。本にはビニールカバーがかけられ、貸出も返却も利用者の誠意に任せている。将来はこの図書館を拡大し、水上での朗読会や講演も行いたいと彼女は考えている。

水上図書館

ノルウェーの西海岸には、長い冬の間、孤立状態になる地域のための水上図書館がある。誕生したのは1959年で、現在稼働中の特注船エポス号が初めて就航したのは1963年だ。乗組員数はばらつきがあるが、船長、技師・甲板員、コックの3人は必ず含まれる。

エポス号内の図書室は傾斜しており、海が荒れても本が棚から落ちないように工夫してある。

EPOS

知識の方舟

バングラデシュではNPO団体シュデライ・スワニバル・サングッサが、洪水が多発し学校に通いにくい地域の子どもたちに読み書きを勧めるライブラリー・ボートを運営している。ボートには1500冊の本の他にパソコン、プリンター、携帯電話も置いてある。また、子どもたちの親に読み書きを教える夜間クラスを開催しているボートもある。

救助船ライブラリー

フィンランド南西部の群島の都市パルガスを拠点として本格的に稼働している海難救助船は、移動図書館の役目も果たしている。救助船にはプラスチックの箱に詰めた本が約600冊置いてあり、夏と秋には毎週10カ所以上の場所に立ち寄る。群島の他の場所ではフェリーが自治体の図書館サービスを行っている。

SERIER

本を選ぶのは図書館員で、利用者に人気のあるガーデニング、フィッシング、狩猟関連の本が中心となっている。船が過積載とならないよう、本は重さも考慮して選ばれる。

ラオスの子ども図書館船

コミュニティ・ラーニング・インターナショナルはメコン川やその支流のオウ川で図書館船を運営している。各船には1000冊前後のラオ語の本が積載され、立ち寄る先々でスタッフが読書に関連したゲームをして子どもたちを楽しませる。本は一晩借りることができ、翌朝、船が次の村へと発つ前に返却する。

Me encanta leer
MTEC
UNICACIONES S.A.
COMCEL
BOMBEROS
VOLUNTARIOS
Gimnasia Mental
el Padrino
CUENTOS DE POMBO
Inés del Revés
Vicente
Papelería
Periódicos

本の宅配

コロンビアのサバネタでは公共図書館が「本の宅配」という移動図書館を運営している。プロジェクトリーダーのオスワルド・グティエレスは、当初バスを利用しようと考えていたが、コストの関係で手押し車を使うしかなかった。一度に運べるのは約80冊、子ども向けの本が中心だ。彼はこの本の手押し車を「車輪のついた衣装ケース」と呼んでいる。

車両型ライブラリー

メキシコシティの建築会社プロドゥクトーラは市内で車両型の図書館を走らせている。壁面は金属製のパンチングボードで、ドアにもなる。車内に明かりがつく夜には、小さな穴から光が外に漏れて非常に目を引く。

e-Bicicloteca
www.bicicloteca.com.br
AMAZON GUARDIAN
AGUARDENTE OF SUGAR CANE
MADE FOR EXPORT ONLY
www.bicicloteca.com.br

自転車図書館

創始者ロブソン・メンドンサ（左頁）はかつて司書をしていたのだが、いつの間にかホームレスになっていた。この三輪自転車ライブラリーは彼にとってサンパウロの路上生活の場でもある。本を借りるのに身分証明書も住民票もいらない。

Wi-Fiスポットとしての図書館

シアトル市立図書館のブックバイクは移動型のWi-Fiスポットとしても機能している。利用者はその場で登録し、専用のiPadアプリを使って本を借りる。

トゥーソンのブックバイク

アリゾナ州トゥーソンにあるピマ郡立図書館が運営しているブックバイクはさまざまな場所を定期的に回っている。たとえば市場、女性用シェルター、炊き出しの場などだ。

Songs My Mother Sang to Me
world
#1 NEW YORK TIMES-BESTSELLING AUTHOR
ROBIN COOK
NTERVENTION
chairs
Sebastien Braun
HENRY
BUCCANEER BUNNIES
DIANA GABALDON
JAZZ
ORRISON
The OTHER QUEEN
PHILIPPA GREGORY

STREET BOOKS
Street Books is a bicycle-powered
STREETBOOKS

ストリート・ライブラリー

オレゴン州ポートランドのストリート・ブックスは市内在住者以外の人々のために2011年に開始された。利用者は選んだ本を手に持った姿を撮影していいかと尋ねられ、写真はストリート・ブックスのウェブサイトに掲載される。このプロジェクトは資金の一部をクラウドファンディングで調達している。

ポップアップ・ライブラリー

この魅惑的な屋外の読書室はニューヨーク湾に浮かぶガバナーズ島に出現した。ユニ・プロジェクトが市内各地で行っているポップアップ・ライブラリー（一時的に出現する図書館）で最も成功した例のひとつだ。ニューヨークの3つの公共図書館（ブルックリン公共図書館、ニューヨーク公共図書館、クイーンズ図書館）と共同で2013年の夏に開催された。本を読むだけではなく、子ども向けプログラムや教育活動も行われた。

ブロンクス区（左）とクイーンズ区コロナ（右頁）でのポップアップ・ライブラリー。ニューヨーク市内の公園、広場、フェスティバル会場、歩道など200カ所近くでこの即席の読書室は作られてきた。海辺に作られたこともある。

ユニ・プロジェクトではポップアップ・ライブラリー用キットも作り、世界中の図書館や地域組織に送っている。360度から本が見える書架と積み重ねられる椅子の他に、キャスターをつけた合板のケースも提供している。

海辺の本

2013年、テルアビブのビーチに初めてオープンしたビーチ・ライブラリーが盛況だったため、翌年にはさらにエルサレム、ゴードン、クリフの3つのビーチでも開催された。ビーチ・ライブラリーに本を寄贈することもでき、専用の箱が用意されている。

移動型電子図書館

アメリカ人起業家ブリュースター・カールがかつて行っていた移動型の電子図書館は、21世紀の図書館のあり方を示唆するものだった。利用者はすでに著作権の切れた2万冊を所蔵する電子図書館にアクセスし、画面上で本を読む。希望者は携帯用プリンターで印刷をしてもらうこともできた。

REE
print your own BOOK!
kMobile
archive.org
1,000,000 Books Inside (soon)

大量知識兵器

活動家でアーティストでもあるラウル・レメソフは、軍が放出した1979年式フォード・ファルコンを改造し、本を搭載して「大量知識兵器」と名付けた。ブエノスアイレスの街を走らせ、通行人に本を無料で配っている。ゆくゆくはペルーやボリビアにも足を伸ばそうとレメソフは考えている。

レメソフは、自作のこの戦車型ライブラリーを動く彫刻とみなし、本を配る目的は「平和と人の理解に貢献するため」と語る。

ONE BLACK-OUT BENEFIT!
More time for READING!
Long winter evenings at home mean lots more leisure for reading
Join Boots BOOKLOVERS LIBRARY
Circulating Library

塀の向こうの本

ハリー・ポッターのシリーズ、アガサ・クリスティーのミステリー、『指輪物語』。人気作品がそろっているこの図書館は、おそらく世界で最も警備が厳重だろう。キューバの米軍基地内にあるグアンタナモ湾収容キャンプの収容者用図書館だ。蔵書2万冊、ほとんどがアラビア語か英語の本で、雑誌もある。

図書館はプレハブの建物で、本や雑誌はテーマ別に並べられている。収容者は書架に入ることができない。あらかじめ読みたい本を申し出るか、司書が監房へ週1回運んでくる本の中から選ぶ。返却された本は、収容者が仲間へのメッセージを書き込んでいないか丹念にチェックされる。

浴場での読書

ブルガリアのプロヴディフ市の現代芸術・建築センターの展示品のひとつとして、建築会社スタジオ8½が制作した木造の臨時図書館。場所は16世紀に建てられたオスマントルコの浴場の廃墟だ〔ブルガリアはかつてオスマン帝国の支配下にあった〕。図書館には書架とビデオ資料の閲覧用端末がある。床にはゆるやかな傾斜が作られ、心地よいクッションが用意されている。

ドクター・ロンドンの書斎

アーティストのアダム・ダントが2010年、ロンドンのバターシー・パークのパンプハウス・ギャラリーに設けた啓蒙図書館風のインスタレーション。本物そっくりに描いた本の背表紙と書棚を模した木枠を使っている。ロンドンの各地区を人の器官や組織にみたて、ロンドンを人体にたとえる試みの一環。

Finsbury
of London
Hidden ducts of Holborn
Hidden ducts of Holborn
VOL 15
Cough cough cough
Bus Tales
Mucus of the east
Pleural facades of fizrovia
The Thorax at Aldgate
The Lingula on the Walbrook
Great Portland ventilator
Bronchioles after 8 pm
Pulmonary Sportsfield
The Exhaled brickwork of the outer temple
Blood on the street

Reading Room
BRYANT PARK
OXFORD
OXFORD

公園の本

失業者のための図書館サービスとして、ブライアント・パーク・リーディング・ルームが初めてニューヨークにできたのは1935年だった。1944年に閉鎖されたが、その後、本や雑誌を運ぶ専用カートを使って再開された。現在では昼休み向けのリーディング・プログラムや子ども向けサービスも提供している。無料で利用でき、会員カードや身分証明書などが必要ないことは以前から変わっていない。

Jenny
Eclair
Fiction
Cornwell
1356

酒場の本

イギリスのコーンウォールではパブに図書館がある。スター・インとシップ・イン（次頁）は互いに1000ポンド足らずを出し合って図書館を作った。両者共に本棚、看板、そして主要図書館ネットワークに接続するコンピュータ端末を備えている。

女将から司書へ

シップ・インの女主人ロンニ・コリンズは、より多くの女性が本目当てにパブを訪れ、さらには図書館が地域社会をまとめる役割を果たすことを願っている。

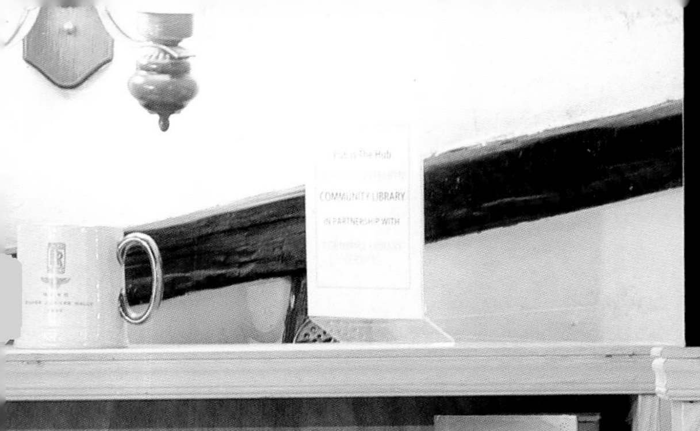
COMMUNITY LIBRARY
IN PARTNERSHIP WITH
CORNWALL
Library Services

Fiction
Large Print

n A - Z

FREE
BOOKS!
LOVE,
MIGHTY
WRITERS

路上ライブラリー

フィラデルフィアのプロジェクト「ザ・マイティー・ライターズ」は、課外活動を通じて子どもたちの読み書き能力を高めようとするものだ。その方法は図書館として最もシンプルなものと言えるだろう。市内3カ所の路上にテーブルを置き、寄付された本を並べ、自由に持ち帰って自分のライブラリーを作ろうと子どもにも大人にも呼びかけている。

リーディング・カフェ

イギリスのヨーク州ロウンツリー・パークにあるリーディング・カフェは、かつては公園管理人の住宅だった。特に子どもの本が充実していて、毎月1回は編み物愛好家グループがここに集う。

読書のための路面電車

ブラジルのパラナ州クリティーバ市のショッピング街にある歩行者専用道路には、かつての路面電車が置かれている。2010年、クリティーバ読書プログラムによってこの路面電車は図書館として再利用されることになった。この図書館を利用できるのは身分証明書を持つクリティーバ市民に限られる。年齢を問わず、電車内に置かれた2500冊を自由に読み、借りることができる。ブラジルや世界の古典文学から最新のベストセラーまで置いてある。

本のトロリーバス

ブルガリアのプロヴディフでトロリーバス図書館を開いているウラジスラフ・コスタディノフは言う。「このプロジェクトは小さな街に新たな命を吹き込むものなんだ。近くに文化センターとかがなくて文化的ギャップが生じても、それをこの図書館が埋めてくれる」

コスタディノフはできる限りトロリーバスの雰囲気を残すことにした。座席も手すりも停車合図用の押しボタンもそのままだ。また、服のハンガーを本棚代わりにするなど変わった見せ方をしている。

НЕДЯЛКО СЛАВОВ
ФИЛИПОПОЛСКИ РАЗКАЗИ
ЕВГЕНИЙ ТОДОРОВ
Особености

ボンダイ・ブックシェルフ

2010年、家具メーカーのイケアは定番の本棚「ビリー」の発売30周年を記念して、シドニー近くのボンダイ・ビーチに世界最長の屋外本棚を設置した。並べられた本は6000冊で、自分の本と交換するか、またはオーストラリア読み書き計算能力基金に少額の寄付をすれば利用できた。この催しは1日限りのものだった。

樹上図書館

2009年、ロンドンのリージェンツ・パークに巨大なツリーハウス2つを含む大がかりなインスタレーション作品が出現した。球形の読書ギャラリーもその一部で、設計したクラウディア・モーズリーとステフ・スミスは「冒険家たち」のために数百冊を用意した。

ブックヤード

アーティストのマッシモ・バルトリーニが制作した2010年のインスタレーション作品。ベルギーのゲントにある聖ペテロ修道院のブドウ園に本棚が12列設置された。並んでいる本のほとんどはゲントやアントワープの公共図書館から放出されたもので、訪れた人々は借りることができるほか、自分の本を寄付することもできた。

参考文献

Battles, Matthew, *Library: An Unquiet History*, W. W. Norton & Company, 2004

Belanger, Terry, *Lunacy and the Arrangement of Books*, Oak Knoll Press, 2003

Benjamin, Walter, *'Unpacking My Library'*, originally delivered as a lecture in 1931, repr. in *Illuminations: Essays and Reflections*, Schocken, 1969

Borchent, Don, *Library Confidential*, Virgin Books, 2007

Bosser, Jacques, *The Most Beautiful Libraries in the World*, Harry N. Abrams, 2003

Borges, Jorge Luis, *The Library of Babel* (El Jardín de senderos que se bifurcan), Editorial Sur, 1941

Campbell, James, and Will Pryce, *The Library: A World History*, Thames & Hudson, 2013

Carley, James P., *The Books of King Henry VIII and His Wives*, British Library, 2004

Cleeves, Ann, et al., *The Library Book*, Profile, 2012

Darnton, Robert, *The Case for Books: Past, Present and Future*, PublicAffairs, 2010

Davis, David, *Librarian's Night Before Christmas*, Pelican, 2007

Dupuich, Dominique, and Roland Beaufre, *Living With Books*, Thames & Hudson, 2010

Eco, Umberto, and Jean-Claude Carrière, *This is Not the End of the Book*, Vintage, 2012

Ellis, Estelle, Caroline Seebohm, Christopher Simon Sykes and Clarkson Potter, *At Home with Books: How Booklovers Live with and Care for Their Libraries*, Thames & Hudson, 1995, repr. 2006

Ellis, Markman, *'Coffee-House Libraries in Mid-Eighteenth-Century London'*, *The Library: Transactions of the Bibliographical Society*, Vol. 10, No. 1, March 2009

Fadiman, Anne, *Marrying Libraries in Ex Libris: Confessions of a Common Reader*, Penguin, 2000

Geddes-Brown, Leslie, *Books Do Furnish a Room*, Merrell, 2009

Gladstone, William Ewart, *On Books and the Housing of Them*, MF Mansfield, 1898

Grant, Linda, *I Murdered My Library,* Kindle Single, 2014

Hamilton, Masha, *The Camel Bookmobile*, Harper Collins, 2007

Hammer, Bjarne, *Libraries*, Roads Publishing, 2014

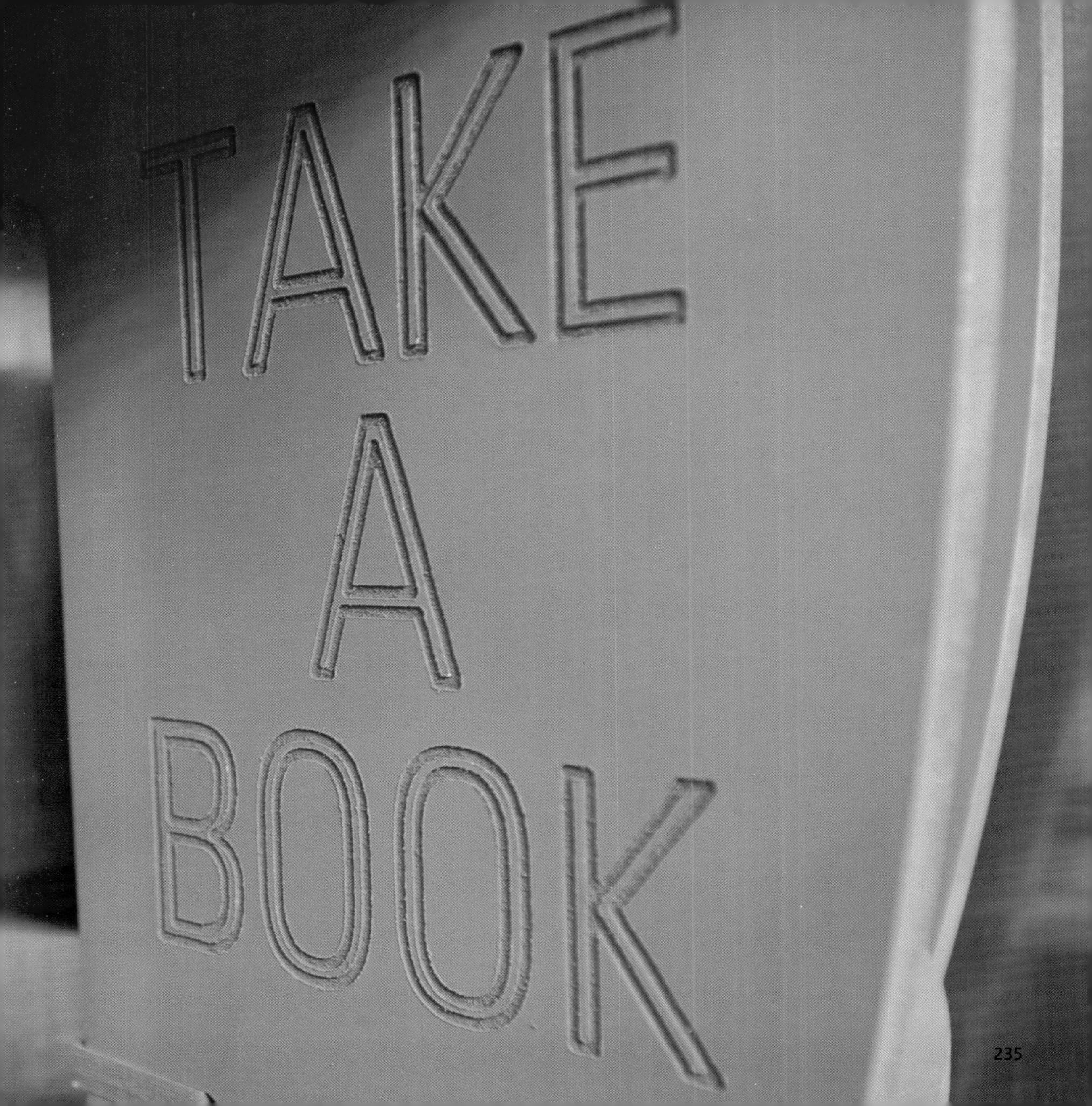

TAKE
A
BOOK

Henshaw, Sarah, *The Bookshop that Floated Away*, Constable, 2014

Höfer, Candida, *Libraries*, Schirmer/Mosel, 2006

Jenner, Margaret, *Small Libraries of New Zealand*, Bay of Plenty Polytechnic, 2005

Johnson, Alex, *Bookshelf*, Thames & Hudson, 2012

Johnson, Arnold B., *'Lighthouse Libraries'*, *Library Journal*, February 1885

Johnson, Marilyn, *This Book is Overdue! How Librarians and Cybrarians Can Save Us All*, Harper Collins, 2011

Larkin, Philip, *'Shelving the issue'*, *New Statesman*, 10 June 1977, repr. in *Further Requirements*, Faber & Faber, 2013

Manguel, Alberto, *The Library at Night*, Yale University Press, 2008

Nixon, Howard M., and William A. Jackson, '*English Seventeenth Century Travelling Libraries*', *Transactions of the Cambridge Bibliographical Society*, Vol. 7, No. 3, 1979

Orton, Ian, *An Illustrated History of Mobile Library Services in the United Kingdom: With Notes on Travelling Libraries and Early Public Library Transport*, Branch and Mobile Libraries Group of the Library Association, 1980

Orwell, George, *Books vs Cigarettes*, Penguin, 2008

Henry Petroski, *The Book on the Bookshelf*, Alfred A. Knopf, 1999

Polastron, Lucien X., *Books on Fire: The Tumultuous Story of the World's Great Libraries*, Thames & Hudson, 2007

Powers, Alan, *Living with Books*, Sterling, 2006

Rugg, Julie, *Buried in Books: A Reader's Anthology*, Frances Lincoln, 2010

Spufford, Francis, *The Child That Books Built*, Faber & Faber, 2003

Steffens, Jo (ed.), *Unpacking My Library: Architects and Their Books*, Yale University Press, 2006

児童書

Buzzeo, Toni, *Inside the Books: Readers and Libraries Around the World*, Upstart Books, 2012

Cotton, Cynthia, *The Book Boat's In*, Holiday House, 2013

Ruurs, Margaret, *My Librarian Is a Camel: How Books are Brought to Children around the World*, Boyds Mill Press, 2005

オンライン情報

http://www.treehugger.com/

http://www.dezeen.com/

http://www.archdaily.com/

https://placesjournal.org/article/marginalia-little-libraries-in-the-urban-margins/

http://www.libraryhistorybuff.com/

https://bookmobiles.wordpress.com/

http://meandmybigmouth.typepad.com/scottpack/2014/05/books-in-prisons.html

http://www.britishpathe.com/

https://robertdawsonlibrary.wordpress.com/about/

＊リンク先の情報は予告なく削除・変更されている場合があります。

フォトクレジット

表紙Hester & Hardaway; 裏表紙(右下)Jambyn Dashdondog/Mongolian Children's Culture Foundation/Go Help(上)Dimensional Innovations(左)Claudia Cooley
1 Luis Gallardo/ PRODUCTORA; 2 Bonnie Alter; 6 Bibliothèques Sans Frontières/Libraries Without Borders;
9 Shaharaine Abdullah; 10 Kristian Kearns; 13 David Shankbone; 17 Photo Wallace Kirkland/Time & Life Pictures/Getty Images;
22 Ferrocarrils de la Generalitat de Catalunya; 23 Ayuntamiento de Madrid; 24–25 Sistema Nacional de Bibliotecas Públicas Chile; 26 T. Rogovski; 27 above R. Kuper; 27 below Rogovski; 28 Easytaxi; 29 Keri Tan;
30 Sander Stoepker/ProBiblio; 31 Free Library of Philadelphia; 32–33 Erik Törnkvist, ETAT ARKITEKTER AB;
34 Sander Stoepker/ProBiblio; 36–39 Boris Zeisser/24H-architecture; 40 Library Hotel, New York; 41 Ultimate Library;
42 The Library, Koh Samui; 44–45 Gladstone's Library; 46 NoMad Hotel; 47 Radisson; 50 Western Maryland Regional Library; 51 Goodman-Paxton photographic collection/University of Kentucky Digital Library; 54–55 Luis Soriano;
56–57 Universidad Valle del Momboy; 58–59 Jambyn Dashdondog/Mongolian Children's Culture Foundation/Go Help; 60–61 Cien Keilty-Lucas/Ethiopia Reads; 62–63 Big Brother Mouse; 68 Little Free Library; 70–71 Didier Muller/House Work; 72–73 Bonnie Alter; 74–75 Claudia Cooley; 76–77 Baufachfrau;
78–79 Fundalectura/IBBY Colombia; 80–81 Hannah Airey/Gap Filler; 82–83 Peter de Wit; 84–87 Eirini-Aimilia Ioannidou/ Eleftherios Ambatzis; 88–89 Marta Wengorovius/João Wengorovius; 90–93 Little Free Library; 94–95 Marcelo Ertorteguy and Sara Valente/Stereotank; 96–97 Chloë Leen/Theodore Molloy/Thomas Randall-Page/Tõnu Tunnel; 98–99 John Locke;
100–101 Seung Teak Lee/ Mi Jung/Andrew Ma/stpmj; 102–3 Kniho Budka: Pavel Zelezny/ Monika Serbusová; 107 Seikei University;
110–13 Andreas Meichsner/ff-Architekten; 114–15 NHDM/NahyunHwang + David Eugin Moon; 116–17 Thomas Voelkel;
118–23 Christian Richters/Mecanoo; 124–25 Sou Fujimoto Architects; 126–27 BC architects; 128 National Library Board, Singapore; 130–33 Adam Mork; 134–35 Dimensional Innovations; 138 E Chaya; 140–41 Zhonghai Shen /ARCHI-UNION ARCHITECTS; 142–43 Design: Trout Studios; Photo: Hester & Hardaway; 144–45 Huh Juneul; 146–47 Jose Carlos Francisco Baeza/ Judith Francisco Baeza; 148–49 Travis L. Price III www.TravisPriceArchitects.com/ Photographer: Ken Wyner;
150–51 Thomas Mandrup-Poulsen; 152–53 Daici Ano/Nendo; 154–57 Mjölk architekti/Barbora Kuklíková;
158 Ben Couture/3rdSpace; 163 shipwrecklog.com; 167 Photo Wallace Kirkland/Time & Life Pictures/Getty Images;
168–69 Asialink/Georgia Hutchison/Rob Sowter/Soumitri Varadarajan; 170–71 Sarah Peters; 172–73 Ingrid Dræge/Bokbåten Epos; 174–75 Mohammed Rezwan/Shidhulai Swanirvar Sangstha; 176–79 Karolina Zilliacus/Pargas; 180–82 Alexander Robb-Millar/ Community Learning International; 184–85 Oswaldo Gutiérrez Tobón; 186–87 Luis Gallardo/ PRODUCTORA; 188 Henrique Boney;
189 The Seattle Public Library; 190 Pima County Communications Dept; 192–93 Jodi Darby; 194–97 Sam Davol/The Uni Project;
198–99 Israel Melovani/Tel Aviv-Yafo Municipality; 200 Brewster Kahle; 202–3 Guillermo Turin/Secretaría de Cultura y Educación, Municipalidad de Rosario; 207 Wiles-Hood/Nashville Public Library; 209 Alliance Boots Archives; 210 Emily J. Russell; 211 Patrick Thompson; 212–13 Vladislav Kostadinov/studio 8 ½; 214–15 Adam Dant; 216–17 Bryant Park Corporation; 218–20 Toby Weller/ Pub is The Hub; 222–23 Maggie Leyman/Mighty Writers; 224 Explore York Library Learning Centre; 225 Bruna Carvalho;
226–27 Vladislav Kostadinov/studio 8 ½; 228–29 One Green Bean; 230–31 Claudia Moseley/Stephanie Smith; 223 Dirk Pauwels;
235 John Locke; 240 Miler Lagos

著者　アレックス・ジョンソン　Alex Johnson

イギリス人ジャーナリスト。インデペンデント紙で働くほか、複数の慈善団体の編集顧問を務める。ブログ「Bookshelf」（http://theblogonthebookshelf.blogspot.com）と「Shedworking」（http:// www.shedworking.co.uk）はいずれも書籍化されている。両親とも図書館司書。現在はハートフォードシャー南部のセント・オールバンズで妻と３人の子どもと共に暮らしている。

訳者　北川 玲（きたがわ・れい）

翻訳家。訳書に『錯視芸術図鑑』『こびとの住む街』『インフォグラフィックで見る138億年の歴史』『注目すべき125通の手紙』『CIA極秘マニュアル』『天才科学者のひらめき36』『若き科学者への手紙』（いずれも創元社）など多数。

世界の不思議な図書館

2016年4月10日　第1版第1刷発行
2017年5月20日　第1版第2刷発行

著　者　アレックス・ジョンソン
訳　者　北川　玲
発行者　矢部敬一
発行所　株式会社 創元社
〈本　　社〉
〒541-0047　大阪市中央区淡路町4-3-6
TEL.06-6231-9010（代）　FAX.06-6233-3111（代）
〈東京支店〉
〒162-0825　東京都新宿区神楽坂4-3 煉瓦塔ビル
TEL.03-3269-1051
http://www.sogensha.co.jp/

ISBN978-4-422-31106-7 C0036

装　丁　長井究衡

本のドーム

コロンビア人アーティスト、ミラー・ラゴスによる2011年のインスタレーション作品「ホーム」。図書館から放出された本を積み上げて作った自立型のドームだ。